Q&Aで
地域を再発見！

手書き地図の教科書

手書き地図推進

学芸出版社

はじめに

町のウワサ、暮らしのエピソード、そして超個人的な思い出。地元とあなたの"目に見えない物語"を可視化した手書き地図が、やっぱり面白い!

　前著『地元を再発見する!　手書き地図のつくり方』を世に送り出したのは、2019年の夏の盛りのことでした。たくさんの方が書店で手に取ってくれただけでなく、日本中の図書館が置いてくれたり、大学の講義や地域活性化の最前線でテキストとして採用されたり、日本と同様に"ローカル"が盛り上がっている台湾で翻訳本が出版されたりと、僕らが想像する以上に反響が大きくて、なんだか嬉しくなっちゃいました。みんな、こういうのを待ってたのね!

　手書き地図の良いところは、これまで可視化されてこなかったウワサやエピソード、そして思い出といった、皆さんの頭の中にしまってある"地域の記憶"と心の片隅に置き忘れていた"自分の物語"を、誰でも自由自在に地図というフォーマットに落とし込むことができる偏愛ツールだということでしょう。たとえ正確さがなくても、たとえ網羅的でなくても、字が上手でなくても、線が曲がっていても、バランスが悪くても、カタヨリが激しくても、僕らが考える手書き地図はまったく気にしません。むしろ「それ、あなたにしか書けない物語＝地図じゃん!」と全肯定すること間違いなし。これまでに実施してきた数々のワークショップでも、そういう超個人的偏愛路線を突っ走っている手書き地図がやはり面白く、強く印象に残っていたりします。

　初の出版を経て、もっともっと手書き地図を愛する全国の皆さんに会いに行くぞ!　そうだ、台湾にも行かなきゃだぞ!　と意気込んでいた矢先に起こったのが、新型コロナウイルスによる外出制限。当面のワークショップや講演会はすべて白紙撤回となり、一気にしょんぼりしたことを覚えています。ちーん。ところが、これまた予想外の流れが起こりました。そうした制限の中でも"日常を楽しむ"ということを諦めず、遠出が出来ないなら身近な場所を見直してみようじゃないかと「地元再発見」の

機運が巻き起こったのです。以来、これまではただただ通り過ぎるだけだった足下の通勤通学の風景や、見過ごしてきた地元の風土の中に、まだ発見されていない宝物を見つけようというムーブメントにつながっていきました。そう、まだ見ぬ未開の冒険の地は、意外にも皆さんのご近所にあったわけです。

　ということで、僕らの本の続編『Ｑ＆Ａで地域を再発見！　手書き地図の教科書』が爆誕しました。前著は手書き地図の事例紹介とワークショップのレポートが中心だったのに対し、本書では実際に手書き地図を作ることを念頭に置いています。基礎編（１章、２章）、アウトプット編（３章、４章、５章）、トレーニング編（６章、７章、８章）と、考え方から作り方へとステップアップしていく構成です。

　通しで一気に読んでもいいし、好きな章だけ読んでもちゃんと成立します。グループワークも楽しいし、ソロワークも楽しいんだよなあ。毎回大いに盛り上がる手書き地図推進委員会のワークショップを、ぜひ読みながら机上体験してみてください。特に「どうやったら書けるようになる？」という心構えについて触れた４章と、反復練習になる「手書き地図を書くためのクエスチョン50」をまとめた６章〜８章は、前著にはなかった要素。ワークショップの現場で実際に飛び出したティップスやヒントを惜しみなく収録したので、読み終えるころにはあなたオリジナルの“空想マップ”が出来上がるくらいには脳内イメージが整っていることでしょう。

　手書き地図推進委員会の講演会やワークショップで必ず話すことの１つに、「今日は今日の音を奏でる」というフレーズがあります。それはバンドのセッションのようなもので、常にミスなく楽譜に忠実に演奏する必要はないという意味です。毎回正確さを求めていたら、当たり前ですが同じようなものばかり出来てしまいますよね。そうではなく、今日は今日の気分と調子でいきましょう。毎回異なるものが出来ることが面白いし、その積み重ねとレイヤーがあなたの物語と町の記憶のリアルな姿なのですから。

2024年2月吉日　手書き地図推進委員会　研究員　大内征

4章　どうやったら書けるようになる?

5章　何はともあれ書きまくろう　～手書き地図ができるまでを見てみよう～

3　トレーニング編: 手書き地図を書くためのクエスチョン50　49

6章　STEP 1　まずは有名どころでウォーミングアップ!

7章　STEP 2　あなたのまちの耳寄り情報を教えて！

8章　STEP 3　個人的な思い出やストーリーを書いてみよう！

1

手書き地図は
かっこよくなくていい

1章

この地図のここが面白い！
手書き地図解剖

作者の個人的な
おすすめ、
個人的な
コメントが肝

ときがわ食品具マップ

　まずはこの手書きの地図を、見てください。どうです。この迫力！　手書きの文字と線がびっしり書き込まれた密度の高い地図。この土地に対する作者の温かい目線を感じるコメントが、所狭しと詰め込まれています。じっくりと文字を読んでみると、山や川などの自然によってもたらされる、このエリアの豊かさを意識できる内容になっています。見ているだけでこの土地に行きたくなる手書き地図です。

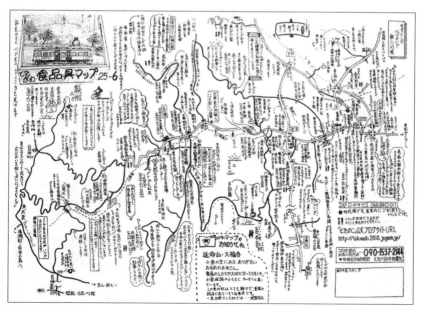

ときがわ食品具マップ（埼玉県ときがわ町）作成：川崎敏雄

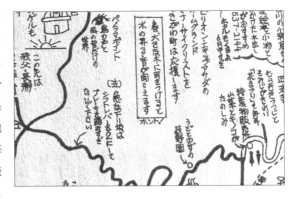

　これは、我々手書き地図推進委員会でも「手書き地図と言ったら、この地図」と紹介してきている、埼玉県ときがわ町の手書き地図です。15年以上毎年更新され、今では発行部数10万部を超え、ときがわ町のあちこちに置いてある、地元の人にも観光で訪れた人にも愛される手書き地図です。作者は、ときがわ町で「とき川の小物屋さん」という小物屋さん兼喫茶店を経営している川崎さんです。川崎さんは、会社員時代に秩父への旅の途中にたまたま立ち寄った、ときがわ町の自然の豊かさに魅了され、いつしかこの手書き地図を作るようになりました。その後、川崎さんは自分を虜にした景色が見える場所に、お店を開くようになります。

　お店を開くようになるまで愛した場所だからこそ、紹介したいスポットや見どころには必ず味わい深い"ひと言コメント"が書き添えられています。書き込まれているものは、全て作者の川崎さんが体験したことで、読んだ人にお勧めしたいことばかり。全て川崎さん個人の主観です。例えば「春、大きな木に耳をつけると水の昇る音が聞こえます」という一文は、どこのガイドブックにも出ていません。でも、この場所の魅力は豊かな自然なのだと捉えている川崎さんにとっては、これこそ紹介すべきことなのです。春にときがわ町に来たら味わってほしいのは、何よりも木に耳をつけて水の昇る音を味わうことなのです。これこそ、手書き地図らしいコメントのお手本です。

　後ほど、紹介していきますが、「手書き地図は読み物」です。誰でも書けるような客観的なことよりも、川崎さんのコメントのような主観的なメッセージが大事になります。それを体現しているのがこの「ときがわ食品具マップ」です。

手書き地図
憲章

横浜市新鶴見小学校
み力いっぱい工場の思い・こだわりマップ

　「み力いっぱい工場の思い・こだわりマップ」は、横浜市立新鶴見小学校３年４組の南さん、太田さん、浅葉さん、山口さんが学校の総合的な学習の時間に作った手書き地図です。この手書き地図は、手書き地図推進委員会が全国の小学生を対象に実施している「手書き地図アワード 2022」の大賞に選ばれた作品です。

　我々手書き地図推進委員会では、結成当初より**「手書き地図憲章」**というものを定めています。憲章は地図を表す英単語の「MAPS」からなり、それぞれの頭文字に手書き地図で大切なものを表しています。**偏愛である「Maniac」、地域愛の「Area」、地図を作る過程の「Process」。自分だけが書ける物語の「Story」**からなります。

　上記の「み力いっぱい工場の思い・こだわりマップ」は、手書き地図憲章で謳っているMAPSの要素がすべて入った地図です。最初は、自分たちの地域には何もないということから始まったとのことでしたが、工場がたくさんあるというエリアの特徴を発見(Area)。11回も工場に取材に行き、「ネットにのっていない情報」を自分たちの足で集めました（Process）。工場の人達のすごさを「かっこいい」「思いがある」と感じ取り、それを表現するために大人向け、子供向けと２つの地図に編集(Maniac)。そして、一番の受賞理由はみなさんが自分たちの街にある工場に興味を持ち、それぞれの凄さに誇りを感じていることが伝わってきたことです (Story)。じっくり読んでもらうと、それぞれの工場の特殊な技術や驚いたポイントについて表現されていることがわかると思います。取材に協力した工場の人たちや地域の人にとっても誇りに思えるいい手書き地図だと思います。小学生の可能性は本当に無限大です。

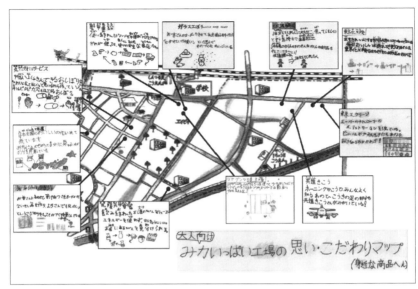

み力いっぱい工場の思い・こだわりマップ（身近な商品へん）（神奈川県横浜市鶴見）

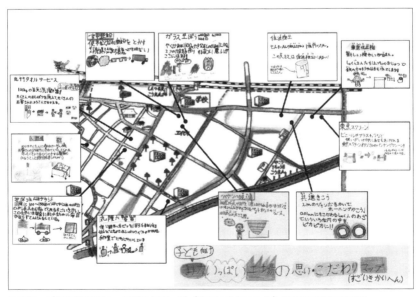

み力いっぱい工場の思い・こだわりマップ（すごいきかいへん）（神奈川県横浜市鶴見）

自分の「好き」
を追求する

鎌倉市西鎌倉小学校
どこで何をすれば、サッカーがうまくなるか？

　続いても、また小学生の作品です。鎌倉市西鎌倉小学校３年２組の加地さん、小原さんが作った「どこで何をすれば、サッカーがうまくなるか？」マップです。この作品も「手書き地図アワード 2022」で Maniac 賞を受賞しています。

　この地図のすごいところは、自分たちが偏愛している「サッカー愛」に絞って自分たちの街を表現していることです。サッカーにハマっている二人にとってはどの公園に行っても、ここはこんな練習をするのに向いているという発見があるのでしょう。「ジャングルジムをゴールにみたてて神コースをねらってシュートをしたらうまくなる」「少しでこぼこだから、そこでドリブル練習すればボールタッチのしつがあがってドリブルがうまくなる」「かいだんをのぼったじゃりの所で小さい木とそのおくにある穴をゴールにしてしあいをしたらキックのせいどがあがる」など、もうサッカー

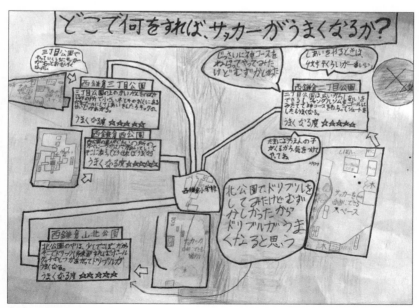

鎌倉市　西鎌倉小学校　どこで何をすれば、サッカーがうまくなるか？　（神奈川県鎌倉市）

のことばかり考えているでしょうという目線がビシビシ伝わってきます。

　なにかに夢中になっている人の、熱い想いが入った早口の話を聞くことほど、面白いことはありません。この「どこで何をすれば、サッカーがうまくなるか？」という地図からは、手書き地図を書く動機がストレートに伝わってきます。

　手書き地図は、みんながいいと思っていること、有名なことを書く必要はありません。このように**ストレートに自分の偏愛を表現したほうが読んだ人の心を動かします**。小学生の視点から、好きなことを表現する姿勢を学びましょう。

フィルターで街の一面を

沼津　知れば知るほど、ずぶずぶハマる！？底なし沼津マップ

　これは、2016年に静岡県沼津市で、沼津市役所と我々手書き地図推進委員会が一緒に作った手書き地図です。公募して集まっていただいた沼津在

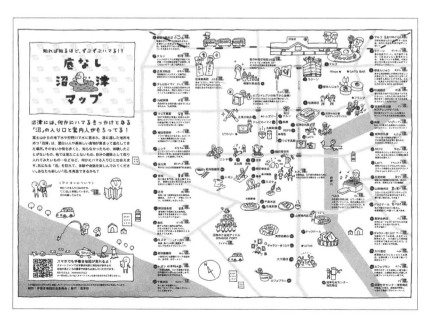

底なし沼津マップ（静岡県沼津市）イラスト：中尾仁士

住の方と一緒に街歩きを行い、ワークショップ形式で沼津のいいところを整理して、手書き地図を作成するというプロジェクトでした。結果的に、2つの手書き地図が生まれ、A3両面にそれぞれを印刷して配布したものです。その後も好評で、情報を更新しながら現在も配布が続いています。

　沼津には特徴のある専門店がたくさんあります。このような街歩きで手書き地図を作るワークショップということもあり、みんなで気になるお店に伺い店主の方にお話を聞きました。パン屋さんやお菓子屋さんが材料を購入するプロショップ、老舗の玩具屋さん、筆と墨を扱う専門店、漁港らしい特殊な用途の刃物まで扱うお店などなど。もちろん食分野でも独自の餃子やスイーツ店もたくさんありました。歴史のある城下町だからなのか、このお店を入り口にそれぞれの「『沼』にハマることもできる入り口」があちこちに開いている町というテーマで括り作成した手書き地図です。自分たちが足を使って実際調べてみる、そのことを一つのテーマで括って、コメントなども含めて一つの世界観としてまとめる。これができるのが手書き地図の醍醐味の一つです。**同じ街でも異なるフィルターを通すとそれぞれ別の魅力が見えてくる**。そういった表現ができるのです。

　実は、この手書き地図は地元の書店で本を買った人に、ブックカバーとして配布されたということも付け加えておきます。こうやって作った人たちで次の企みを一緒にできるのも手書き地図の力です。

友達に
話すように、
地域のことを
伝える

佐久　ぴよぴよツアーズ旅のしおり

　実はこの手書き地図、我々手書き地図推進委員会が結成してすぐに、長野県佐久市に住む江村研究員（現手書き地図公式作家）とその愉快な仲間を訪ねた時に、僕らをあちこち案内するために作ってくれたものです。その名も「ぴよぴよツアーズ旅のしおり」。外からやってきた知人に紹介したいところをまとめて作ったという本当に私的な理由で誕生したものです。

　そのためか、この地域に住んでいる人はこうやって生活しているという視点のネタがたくさんあります。稲刈り後は、はぜかけすること。長野でスーパーといえばツルヤ。出産後、お年取りといえば佐久鯉。野沢菜をたくさん作ること。浅間山の煙がたなびく向き。凍み豆腐（しみどうふ）。個人的に好きな道。おすすめのお店や面白い看板などの情報ももちろんありますが、やはり惹かれるのは上記のような日常の生活が見えてくるコメントです。遠くから来た友達を車に乗せて案内している途中に、車内で話すようなことがたくさん詰まっています。

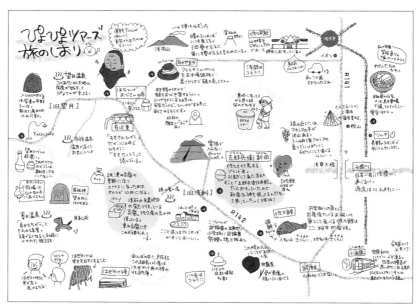

ぴよぴよツアーズ旅のしおり（長野県佐久市）作成：江村康子

　そして裏面も必見です。裏面には、「もっと佐久を知ってほしい！！
超個人的佐久案内〜但し食いもの中心」とあるように、佐久の風土から生
まれる食の習慣、嗜好性のネタが書かれています。粉もんにうるさい、そ
ばにうるさい、豆腐、味噌、野良キウイ、たい焼き…。そして勝手にお土
産候補のイナゴ。「バッタじゃないですよ、イナゴです。」のくだりはまさ
にお土産話にもなります。手書き地図＝地図と捉えられがちですが、この
裏面はまさしく小ネタの集合体でまとめられており、**手書き地図は読み物
でありお手紙**である好例です。

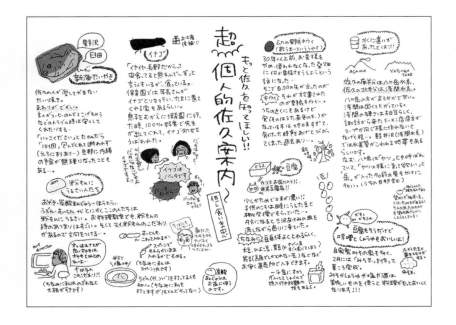

2章
良い手書き地図には○○がない！

　ここまで手書き地図推進委員会が考える「良い手書き地図」を紹介してきました。もう勘の鋭い読者の方は気がついているかもしれませんが、良い手書き地図には共通点があります。それは、これから紹介する「5つのない」です。普通の地図に慣れていればいるほど、当たり前だと思ってしまう地図のあるあるがないないなのです。

恥ずかしさがない！
〜手書き地図は街へのラブレターである！〜

　面白い手書き地図には、恥ずかしさがありません。「5つのない」の中でも一番大切なのがこの「恥ずかしさがない」です。手書き地図の最大の敵が「世間体を気にする心」。「ここが面白いと感じているのは、私だけだからなぁ…。」「みんながいいと言っているのは、あのお店だから…。」こういったみんなの意見を気にする必要はありません。なぜなら、一番必要で面白いのは作成者の主観だから。

　右の地図は東京都大田区松仙小学校の3年生が書いた久ヶ原絶景マップの一部です。小学生が思う絶景がリヨンというパン屋さんだというのです。「入った瞬間にきれいな色のパンがある」というコメントから、伝わってくるものの多いこ

大田区立松仙小学校3年生 おんたけさん・久が原絶景マップ
（東京都大田区）

19

と！　お腹を空かしてお店に入った瞬間に見える映像や焼きたてのパンの香りなどを想像してしまいます。この小学生が感じた絶景を感じてみたいと思わせるのが、手書き地図のいいところです。

　我々、手書き地図推進委員会では、手書き地図を「自分の好きな街へのラブレター」と呼んでいます。自分の主観を書くということは、「自分が街をどう見ているのか？」「どんな体験をしたのか？」「どんな思い出があるのか？」ということを見つめ直すことにつながります。こうやって作った手書き地図は、自分と街の関係を可視化したものとなります。最初にも紹介したように、ときがわの食品具マップには、作者である川崎さんが街に対してどう思っているのかが伝わってきます。「夏はエアコンを切って窓をあけて山のにおいを胸いっぱいにエコドライブ」「春、大きな木に耳をつけると水の昇る音が聞こえます」など、ときがわの自然環境がいかに素晴らしいものか、それを体験してほしいというメッセージが伝わってきます。川崎さんからときがわ町へのラブレターとなっています。この地図を見ている人たちは、川崎さんが書いたラブレターを覗き見させてもらっているのです。そして、そのラブレターを読むことで、作者のメガネでその街を見ることができるのです。

　逆に言えば、街へのラブレターを書くわけですから、恥ずかしがっていてはいつまでたっても、手書き地図は書けないですよね。さあ、恥を捨てて、街へのラブレターを書きましょう！

正確さがない！
～読む人に寄り道をさせるべし！～

　普通の地図では、正しい縮尺であることが求められます。また、現実社会にあるものは地図に掲載するのが普通です。一方良い手書き地図では、自分が面白いと感じたものや、ここは訪れてほしいと思ったものは大きく強調して描きます。特筆すべきものがない場合には、地図上ではなにもなかったことになります。デフォルメされることは、いいことなのです。手書き地図では、「この商店街の道はショーウィンドウが楽しいので、実際は遠回りだけれども、体感的に駅への近道です。」というのが推奨される世界

なのです。

　多くの人が日常的に使っている地図は、スマートフォンの地図サービスでしょう。行き先を設定して、自分のいる場所から効率的に最適な道を知るにはこれ以上便利なものはありません。それに比べて手書き地図はどうでしょう？　そもそも自分のいる位置がわかりません。どのルートで行きたい場所まで行けばいいかを教えてくれません。でも、この街をどう楽しめばいいのか、どのあたりを歩くと楽しいものと出会えるのかを知ることができます。実は、手書き地図の得意なことは、寄り道をさせることなのです。目的以外の場所に立ち寄ってみるかと思わせる力を手書き地図は持っています。手書き地図が「足だけでなく心を動かす地図」と言われるゆえんです。

　先ほども紹介したときがわ町の食品具マップにある「夏はエアコンを切って窓をあけて山のにおいを胸いっぱいにエコドライブ」は、その象徴です。スマホやカーナビの地図では、ただの目的地に行くための道路ですが、川崎さんの手書き地図ではこの道を走って自然を感じることが目的の一つであり、この地域を楽しむエンタテイメントの一つなのです。

網羅性がない！
〜偏愛は最強の武器である！〜

　この街のいろいろな面を全て見せよう。バランスよく見せようという考えは、手書き地図では不要です。必要なのは網羅性よりも「偏愛」です。

　偏愛というと、偏っていてえこひいきでフェアじゃない意味で使われがちな言葉です。でも手書き地図においてはこれほど誇らしい言葉はありません。偏愛万歳です！作者であるあなたの偏った視点、偏愛によってセレクトされた情報が掲載されているものほど面白いのです。偏愛の強い手書き地図が面白いのは、ハマっている人の言葉の表現力と、面白さをわかっている人だからこその熱意のある説得力です。

　作者の偏愛メガネによっては、一つのテーマを持ってその地域を見るため、テーマに合致したものだけが掲載され、テーマ以外のものはどんなに有名な観光地であっても掲載されていない手書き地図があります。先ほど

紹介した「底なし沼津マップ」はその事例です。何かにハマる沼の入り口となるものだけを紹介し、各スポットの見出しも「○○沼」と何の沼の入り口なのかということにこだわって作ってあるから面白いのです。観光客にとっては外せない沼津港も沼津深海水族館も出てこないからこそ、街の違う面が引き立ってくるのです。

　「個人的には…」とか前置きをつける必要はありません！網羅的でなくバランスが悪いあなたの偏愛を表現してください。

余白がない！完成がない！
〜素敵なものをどんどん書き加えよう！〜

　4つ目。良い手書き地図には余白がありません。これ、必ずしも余白がないように全部埋めるのがお作法ということではありません。「書き始めたら、伝えたいことがありすぎて、どんどん埋まってしまった…。」という溢れる熱意が大切だということを言いたいのです。

　ときがわ町の食品具マップは、15年ほど前に始まりどんどん書き加えて今の形があります。これからも毎年のように書き加えられていくことでしょう。作った後に、また街の素敵なものを見つけたら書き込んでいく。こうやってどんどん余白がなくなる手書き地図は、誰にも負けない街への想いで溢れています。そして完成がないのも魅力です。あなたの地図だからこそ、新しいものを見つけたら、書き加えればいいのです。

　余白がない手書き地図ほど、パッと見では把握できません。普通の地図では直感的に位置関係や目的地を見つけられることが重視されます。良い手書き地図では逆です。コメントの一つ一つを読み込むのに時間がかかるのが大事です。なぜなら、良い手書き地図は「読み物」だからです。街へのラブレターなのだからこそ、時間がかかる読み物として、どんどん書き込んでください。それでも読みたい人だけが読めばいいという気持ちで。

絵を描かなくてもいい！
〜写真でも写真のトレースでも何でもよし！〜

　我々手書き地図推進員会が、手書き地図を作るワークショップを行うと

きに、いつも出てくるのがこの誤解。「私、絵が上手くないから描けません」という断り文句。いやいや、手書き地図だから絵を描かなくちゃいけないなんて誰が言った！手書き地図は絵が描けなくても OK です（もちろん絵が描ける人は描いていいですよ）。

　手書き地図で大事なのは、ここまで紹介してきた「恥ずかしがらずに、作者の主観や偏愛を込めた熱意が溢れる読み物」です。読み物だから絵は二の次でもいいのです。そして、読み物が熱ければ、自分で絵を描かなくても、撮った写真で伝えてもいいのです。また手書き地図推進委員会のサイトでは、フリーに使えるイラスト集も配布しています。

▲ダウンロードはこちらから！（商用利用はご遠慮ください）

　この山形の「天童木工のある街」の地図を見てください。よく書けている手書き地図だと思ったでしょ。やっぱりイラスト大事じゃない！と。実は、このイラストは全て撮影した写真を下にひいてトレースしたものなのです。絵が上手いことよりも、自分たちの住む街を「ものづくりにこだわりのある街」というメガネで捉えなおして、セレクトされた情報のみを掲

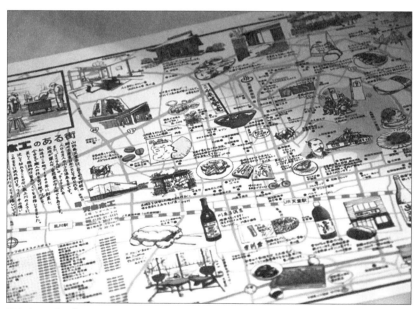

天童木工のある街　（山形県天童市）

載しているということが大事なのです。その補足情報としてビジュアルが必要であれば、それはトレースでも写真でも構わないのです。

　どうでしょう？　ここまで紹介した「5つのない」を知ると、普通の地図と手書き地図で求められているものの違いがはっきりしたと思います。小学生のワークショップをやっていると、地図を書くというと間違えないようにと慎重になり、地図記号を覚えないととと身構えてしまうのですが、むしろ自由に自分が感じたことを作文ではなく地図で表現するのが手書き地図です。

　気が楽になったでしょうか？　え、でもどうやって街のいいところの「主観」を見つければいいの？と、不安を感じた方も安心してください。後ほど、たっぷりと「主観」や「偏愛」を見つけるためのトレーニング「手書き地図を書くためのクエスチョン50」が出てきます。これをやればきっとあなたと街のストーリーが浮き上がってきます。

手書き地図まとめ

	手書き地図	一般的な地図
役割	自分の**好き**が詰まった宝箱 （読み物）	正確に目的地にたどり着くための道具
視点	**主観（自分の目線）**	客観（正確な目線）
縮尺	不正確＞＜；	正確！☆彡
内容	・**楽しい/面白い**と感じていること ・街の**ウワサ話**など （物語）	・道路 ・ランドマークなど （事実）

2

常識にとらわれない
地図をつくる

3章

だれのための地図？
手書き地図は、街へのラブレター

　ここからは、手書き地図のアウトプット方法について紹介していきます。先ほどまで紹介していた「5つのない」からわかるように、通常の地図と手書き地図では大事にしていることが異なります。そうすると当然、伝え方＝アウトプットで求められることも変わってきます。このアウトプット編では、その伝え方について紹介していきます。

ときがわの川崎さんは
だれのために地図を作っているのか

　最初に紹介した手書き地図、ときがわ町の「食品具マップ」。10年以上活動している我々手書き地図推進委員会でも、この手書き地図を超える手書き地図にはまだ出会っていません。

　そこまで言い切れる魅力はどこにあるのでしょうか？　それは誰のために地図を作っているのか、何を伝えるために書いているのかがキーになります。

　作者の川崎さんは、当時お休みの日にバイクでツーリングをする中で、ときがわ町と出会いました。自然の豊かさや出会ったお店や人など、ときがわ町の良さを自分の友人や知り合いにも知らせたいと思ってこの地図を書き始めました。その後、ときがわ町で惚れた風景の場所に、カフェを併設した小物屋さんを開くことになります。地図は毎年アップデートされ、いつしかときがわ町のあちこちのスポットにこの手書き地図が置かれ、すっかり有名となりました。しかし、忘れてはいけないことは、**顔の見える自分の友人たちに向けて書いたもの**だということなのです。

　そして、伝えていることは自分が素晴らしいと思ったときがわ町の良い

ところをみんなに気がついてほしい、体験してほしいというメッセージです。手書き地図の話からはそれてしまいますが、作者の川崎さんは自分が気に入った風景の場所に「絵の額縁」を設置しています。額縁があれば、通りすがりの人もその風景を覗いてみたくなるはずだという仕掛けです。彼にとっては、手書き地図も額縁も、同じ自分の目線を追体験してもらうためのツールなのです。

　手書き地図は「街へのラブレター」と書いてきましたが、このラブレターは街が読むわけではありません。読者はあなたの友人や知人をイメージして、その人が街にきたときに、あなたが案内して回ることをイメージして書いてください。手書き地図推進委員会が発足してすぐに、佐久市に住む友人たちが僕らを迎え入れるために書いてくれた地図があります。この手書き地図は友人を案内して回る気持ちで書かれた手書き地図です。

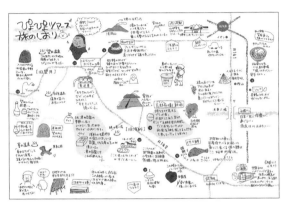

知りたいのは楽しみ方。
役に立つ地図より便利なネタ帳的地図

　外からやってきた友達に街を紹介する気持ちで書くのが手書き地図という話をしてきました。友達を招いてツアーをすると、「どこどこのお店の○○が美味しい」とかだけ話すわけじゃないですよね。道中に、ここって「昔は○○だった」とか「このエリアには、こんな風習がある」「ここに変な看板があるんだよね」と、噂話や取り留めのないことを話すと思います。手書き地図の面白いところは、そういったエリアの特性や気質を伝え、それを踏まえた場所の楽しみ方が見えてくることだと思います。

　先ほどの「ぴよぴよツアーズ　旅のしおり」手書き地図を再度見てくだ

さい。友達を案内して回るときにしゃべるようなことが書き込まれている
のが見てとれると思います。特に裏面の「超個人的佐久案内」は秀逸です。
　水系の話を知ってから、どちらの水系かを考えてそこの地のものを食べ
たとしたら…。豆腐や味噌の話を知ってから、粉ものにうるさいという話
を知った上で街を巡ったら…。昆虫食文化の話を聞けば話の種に体験しな
いわけにはいかないでしょう。「普通の地図には出てこないけれど、友達
を案内するとしたら話すこと」など、その地のネタがあればあるほど、背
景が見えてきて楽しめるようになるのが手書き地図の魅力です。だからこ
そ、一見地図とは関係のない「ネタ」が書き込まれていることが推奨され
るのです。

そのエリアを再発見したいのは「未来の自分」

　誰のための地図なのかを話してきましたが、最後に一つ付け加えておき
たいことがあります。手書き地図は、街へのラブレターであり、友達を案
内するようにあなたの友人や知人に伝えるために作るものです。でも、手

書き地図を書いて一番得するのは、実はあなたなのです。

　友達に紹介するために、自分の街の手書き地図に書くことを考えたり、取材したりする中で、あなたの住む場所の魅力を再発見することになるからです。手書き地図推進員会がよくワークショップで使う言葉に、**「あなたの日常は誰かの非日常」**というものがあります。再発見することの多くは、自分たちが当たり前だと思っていることが、他のエリアの人にとっては珍しかったり、羨ましかったり、レアな経験かもしれないということです。先程の佐久の地図でいえば、2つの水系を楽しめたり、粉ものが豊富だったり…。昆虫食文化も他のエリアから見たら、なかなか体験できないこと。自分の日常の体験自体が、外の人の目線から見ると貴重なことなのだと理解すると、せっかくだから地の利を活かしてどう生活するのか？どう楽しむのか？を考えるようになるのではないでしょうか。

　それと、得する人がもう一人います。未来の自分です。よく工事中の場所を見て、「ここには何があっただろうか？」とか、古地図を見ると「昔は、こんな場所だったんだ！」と感じることがあると思います。手書き地図も10年、20年、30年経ったらどう感じるでしょうか？　普通の地図でさえ、当時の様子がわかることで蘇る記憶がたくさんあると思います。さらに手書き地図だったら、そのエリアのネタだったりコメントだったり、自分がどうそのエリアを見ていたかが書かれているのですから、なおさらです。そう考えると、学校のタイムカプセルにぜひ手書き地図を入れてほしいですね。成人して集まったときに、自分が故郷をどう感じていたのかを手書き地図を通して知り、当時の自分がどんなお店を訪れ、どんなところに魅力を感じていたのかを思い出すいい機会になるのではないでしょうか。想像していたら、手書き地図は同窓会には必須のアイテムのような気がしてきました。

4章
どうやったら書けるようになる？

　ここまで、良い手書き地図とはどんなものなのかを説明してきました。一言で表せば、「友人を案内するときに、その地域の良さやユニークさを語るように紹介する」というのがポイント。であれば、その地域のユニークさを発見するにはどうしたらいいのでしょうか？　安心してください。この本には、誰でも地域のユニークさやあなたの主観を出すためのQ＆Aが準備されています。　Q＆Aに入る前に、普段の生活の中で意識しておくと隠れた魅力を発見しやすくなるマインドセットを紹介しておきます。

不安と恥ずかしさを捨ててまちに出よう！

　一番大事なマインドは恥ずかしさを捨てることです。普段の生活においても、お店の人や近所の人と会話をする人には、情報が集まってきます。自分の街に出て、地図のネタを探すときには、ぜひいつもよりも多めに話しかけて、会話することを意識してください。これだけで、あなたの地域の隠れた魅力を引き出すことにつながります。

　以前、手書き地図推進委員会のワークショップを岡山市で行ったときにこんなことがありました。研究員の川村と跡部が、ワークショップ開催の前日に商店街を歩いていると、長年やっている佇まいの帽子屋さんがありました。勇気を出してお店に入ってみて、店頭にディスプレイされていた「黒澤明監督の帽子」について質問してみました。そうすると店主の方は、帽子の歴史やそれぞれの帽子の形の生まれた背景など、帽子に関する知識が溢れんばかりのお話をしてくださいました。さらには、研究員それぞれに似合う帽子のオススメまでしてもらいました。きっと帽子が本当に大好きなんだろうなぁ。ちなみに、川村研究員はボーラーハット（乗馬のときに木にあたっても大丈夫な形として生まれたそうです）、跡部研究員は、ベ

レー帽（なんとこのベレー帽は自衛隊に納品しているものと同じものとのこと）。被り方まで教えてもらい、二人とももちろん喜んで購入させていただきました。

　次の日、手書き地図のワークショップで、この帽子屋さんでのエピソードを岡山の皆さんに話しました（もちろん二人とも帽子を着用）。みなさん、帽子屋さんがあることは知っていたけれど、入ったことがないとのこと。なんともったいない！　商品を購入できるだけでなく、それぞれに似合う帽子を選び、帽子のマナーや成り立ち、被り方のアドバイスなどももらえるなんて、リアル店舗での購入体験の理想形ですよね。そんな素晴らしいお店の体験も、我々手書き地図推進委員会のように**気軽に話しかけて引き出してみないと隠れた魅力となっているまま**かもしれません。その後、ワークショップのフィールドワーク（街歩き）パートで多くの人がこの帽子屋さんを訪れ、自分に似合った帽子を選んでもらって帰ってきました。

　一歩踏み込んで、話しかけてみる。これだけで、いつもの街に潜んでいる魅力と出会えるかもしれません。オープンマインドで話しかけてみるだけです。お金がかかるわけでも、怪我するわけでもありません。ヒント探しは、不安と恥を捨てて話しかけてみることだけ。じゃあ、どんなことを話しかければいいの？というあなた。ここから、ちょっと話しかける着眼点をいくつか紹介していきます。

［マインド］よき隣人たれ！

　不安と恥を捨てて街を歩いても、これだけは捨てちゃいけないものがあります。それは**「人としての気持ちのよさ」**です。挨拶をする。同じ空間にいる人を不快にさせたり、不安にさせたりしない。あなたがご機嫌で気持ちよい空気を持っていれば、相手の人からも心を開いて接してもらえます。感じのいい人だからこそ、相手も笑顔で話してくれることがあります。杓子定規のやりとりじゃないものを望むのだから、こちらも「観光で東京から来たものですが…」とか「ずっとこのエリアに住んでいるのですが…」と前置きで自分のことを開示しながら感じよく話しかけてください。そうです。自分のエリアを知るためには、あなた自身が「よき隣人」であ

ることが必要なのです。

［マインド］
普段からポジティブなことは、相手に伝えよう！

　これは普段の生活でも取り入れてほしいことなのですが、ポジティブなことは口に出して相手に伝えるようにしてみてください。美味しいものを食べたら、お会計のときに「○○が美味しかったです！」とか、「素敵なインテリアなので、落ち着きます」など一言添えるようにしてください。先日も、手書き地図推進委員会で宇和島に伺ったときにクルマで通りかかった、海の見渡せる素晴らしい借景が楽しめる飲食店がありました。そこでお会計のときに、東京から来たけれどお魚が新鮮だったのと、この海を楽しみながらの食事の時間がすごく良かったというお礼をお伝えしました。そうすると、お会計をしている女性の方は埼玉に住んでいて、ここは実家でたまたま帰省しているタイミングでお手伝いしていることを教えてくれました。関東に引っ越してからは、このお店のロケーションが特別だということを認識したという話もしてもらえました。

　自分が感じたポジティブなことを伝えるのは、恥ずかしがらなければ自然に誰でもできます。欧米人にとっての握手のようなものが、日本人にとってのポジ出しの言葉なのかもしれませんね。あ、もちろん無理にポジ出ししなくていいです。美味しいとか素敵とか思ったときに、正直に伝えるだけで充分です。

［マインド］常にお腹は空かせておこう！

　いつどこで食べ物と遭遇するのかはわかりません。そのため常にお腹を空かせておきましょう。食は、その地域の文化や気質、歴史などを知るヒントになります。だからこそ、看板や湯気、他の人が食べているものにアンテナを立てて街を歩いてください（アンテナを立てるためにも、空腹は有効です）。この後のトレーニング部分で食のトピックスが多いのも、このためです。好奇心と空腹感は、街の魅力の発見力を高める最強の武器です。これはみなさん、得意分野の方が多いのではないでしょうか？

［マインド］見たもの、気になったものを
とにかく声に出す！写真に撮ろう！

　これはもう、普段から反射神経を鍛えるためにやってほしい習慣です。クルマを運転していて、気になった看板があったら、街を歩いていて気になる建物やお店があったら、声に出すようにしてください。1人でやるのは恥ずかしければ、友達と歩きながらやってみてください。それも難しい場合に1人でも簡単にできる習慣としては、スマホで写真を撮っておくことです。なんか気になる風景だなぁ。何か違和感があるなぁ。これってなんだろう？　どうしてこんな表現をするんだろう？　不思議なものを売っているなぁ。とにかくなんでも写真を撮る癖をつけると、あなたの街のネタが発見できる下地になります。

　友達と歩きながら気になるものにツッコむことができれば、「そういえば…」と街の噂や友達が感じている疑問などを話してくれるかもしれません。家族がいる場で喋ってみたら、家族の知っている情報が集まるかもしれません。口に出すことを習慣にしているともう1ついいことがあります。次にあるお店の人に話しかけることへの抵抗感も減りますよ。

［マインド］お店の人に積極的に話しかけよう！
商品の質問から、その人自身への質問へ

　気になる商品があったら、お店の人に聞いてみましょう。先程の帽子屋さんでいえば、「黒澤明監督の帽子」について「これって本物ですか？」と尋ねたのがきっかけです。そこから会話が始まります。お店の人も、売れることの前に自分のお店に並べている商品に興味を持って聞かれるのは、嬉しいはずです。

　そうやって商品について聞いている間に、「いつからお店をやっているのですか？」「どうしてこういうラインナップになっているのですか？」「このエリアで育ったのですか？」など、徐々にその人に関しての質問にしていくことでお店の歴史やその人のお店への想いを探るヒントになります。あ、1つ注意点が。当たり前ですが、他のお客さんを接客中など忙しそう

なときに、くれぐれも質問攻めにしないように。先程も言いましたが、良き隣人として相手のタイミングをみて話しかけてください。

［マインド］お店にある写真や絵画はツッコミ待ちの合図

　まずは商品の質問からということを伝えましたが、商品ではなく飾ってあるポスターや写真などで気になるものがあれば、そこから触れ始めるのもありです。実は、先ほどから話している岡山の帽子屋さんでは、店舗に入った瞬間お店のあちこちにビートルズの写真が貼ってありました。こういったヒントは、触れずにスルーしてしまうのはもったいないです。「ビートルズお好きなのですか？」と一言かけることで、店主のキャラクターを知るきっかけになります。

　我々手書き地図推進委員会の経験値では、面白い店主は自分の色を隠すことができません。お店の中にたくさんのヒントが隠れています。気になる写真や絵画があるところは、間違いなく「ツッコミ待ち」をしている状態です。怖がらず、恥ずかしがらずに聞いてみましょう。

［マインド］心に外の人目線をもとう！ 地元の人でも初めて来た街だと思って歩いてみる

　手書き地図推進委員会がワークショップをやるときに必ず紹介する言葉として、「あなたの日常は、誰かの非日常」というものがあります。地元の人にとっては当たり前のことでも、他の地域の人にとってはとてもユニークだったり新鮮だったりするものです。よく「うちの地域には何もないから」という言葉を聞きますが、我々の経験上そんなことはありません！それは地元目線で見ているから、別に珍しくないと思っているだけです。

　だからこそ、心に外の人の目線を持って街を見てください。自分がここに初めて来たとしたらと想像して街を歩いてください。難しければ、出張や旅行などで他の街に行ったときに、「うちの街との違いはなんだろう？」「どんな違和感を持つだろうか？」と意識してみてください。個人的に出張や旅行に行ったときに、必ず訪れるのはその土地のスーパー、老舗の飲食店、神社仏閣。噂ヒアリング目的で訪れるのは個性のある古着屋さんや喫

茶店やコーヒーショップのような場所。あとは街全体の地形を知るために
すぐに高い場所に登りたくなります。

　そんな場所を巡っていると、自分の街との違いが発見できて面白いです
よ。そこで感じた差異にあなたの街のユニークさが隠れています。

［マインド］一番大事な持ち物。
「どうして？」という好奇心

　自分が興味あることであれば、どんどん「どうして？」「どうして？」
とムクムクと深ぼってみたい気持ちが湧き上がってきます。例えば、どう
してこのエリアには問屋さんが多いんだろう？　ブラタモリのように、ど
うしてこの道路はこんな形になっているんだろう？というあなたの好奇心
あふれる疑問が大切です。

　先に紹介した佐久市の「ぴよぴよツアーズ手書き地図」を例に説明して
みます。諏訪からやってきたラーメン店の店主が「浅間の水は固くて、ス
ープが同じようにつくれない」と言っていたという気づきが発端で、水の
違いという好奇心が湧いてきます。もしかしたら、「水の違いがこの地域
の食べ物に影響を与えているんじゃないか？」と好奇心を持って仮説を立
てます。「そういえば、浅間水系の軽井沢でも水道管がこわれる地域があ
ると聞いたことかある」。「もう一方の八ヶ岳水系では、まろやかで甘いと
言われるなぁ」と情報を集めて地図に書き込む情報を集めていきます。

　地域のユニークさを探るときにその地域に与えられた自然の条件が食べ
物や気質に影響していることが多いです。だからこそ、地域ごとに環境の
異なる日本の各地には、バラエティ豊かな食があって楽しいです。このよ
うに、自然条件と食は一つの切り口ですが、他にもいっぱい切り口はある
はずです。だからこそ、あなたが「どうして？どうして？」と好奇心を持
ってどんどん掘り下げて情報を集めるマインドで街を見てください。まる
で、あなたのまちの人類学者になった気分で。

手書き地図力を鍛えて、まち読み力を高めよう！

　手書き地図を書くネタを発見できるマインド編、どうでしたか？　手書

き地図を書かなくても、普段から取り入れたら日常が楽しくなる気がしませんか？ 日本中あちこちで手書き地図のワークショップをやってきた我々だからこそ、断言します。どの場所でも、必ずユニークな手書き地図を書くネタがたくさんあります！ 日常すぎて気がついてないだけです。

　自分が面白いと感じたこと、自分が不思議だと思ったこと。嬉しかったことやこの街で起きた出来事などなど、あなたの主観が大事なのです。「世界一のものなんてないし…」「観光名所じゃないし…」「東京にはもっと美味しいものがあるでしょ…」などなど、そんな誰かと比べることは必要ありません。あなたがどう思ったのかを、あなたがいいと思ったことを知りたいのです。それが手書き地図です。

　ニューヨーク・タイムズが発表した「2023 年に行くべき 52 カ所」に、盛岡がロンドンに次いで 2 番目に選ばれて話題となりました。これも地元の人たちにとっては当たり前だった、川沿いの街並み、コーヒー専門店、独立系書店などが海外の人から見たら特別な場所だったということです。今から皆さんが手書き地図を作るときには、ニューヨーク・タイムズの海外特派員になったつもりで、ぜひ取り組んでください。

　ここまで書いてきたマインド編を実践していれば、手書き地図力が間違いなく鍛えられます。「あなたの日常は、誰かの非日常」。この言葉を胸にあなたの街を再発見する旅（＝手書き地図を書く時間）を楽しんでくださいね。

5章

何はともあれ書きまくろう
～手書き地図ができるまでを見てみよう～

　ここまでは、手書き地図の魅力や書く時に大事なポイントなどをお伝え
してきました。そしてここ5章では、実際こういう感じで書いていますと
いうのをご紹介したいと思います。皆さんが次章からのQ＆Aに答えなが
ら地図を書く時の参考にしてみてください！

おもろい友達が、おもろい人を連れて来るらしい

　おもろい人には何が見えているんだろう？　子どもと歩く町、高齢の方
と歩く町、外から来た人と歩く町…。まちの佇まいはどの人が歩いても同
じ姿だけれど、歩く人・見る人によって自分とは全く違うものが見えてい
ます。

　おもろい人には、きっと私には見えないものが見えているに違いない。
どんなものが見えているか知りたい！　そして私から見えているものも紹
介したい！　そんな動機で、たまたま佐久に来るSABOTENS（色々な地域
をお散歩している2人組）と、友人の編集者と、私（手書き地図公式作家
の江村）の4人で一緒にまち歩き＆手書き地図を作ることにしました。ま
ち歩きの議事録、はじまりはじまり。

下調べと下準備（いい塩梅に）

　Googleマップの「マイマップ」という機能を使って、「行きたい・気に
なる場所リスト（マップ）」を作る。いやー便利。ストリートビューも最
終的にめっちゃ役立つし絶対作る。これは、仕事でも個人的にも必ず作る
デジタルの地図。

　何がどこにあるのか、歩いてどれくらいかかるか、距離感は実際どれく

らいなのかを確認するのにこれほど便利なものはありません。と、同時に、手書き地図が完成した時に、このマイマップを伝えたり、一緒に作っている人と確認したりする時にも役に立ちます。履歴も残るので、地図による日記のようにアーカイブも残ります。

　ざくざくと地図に目標物を入れた後、聞いた話や覚書を入れていくと、取材の時に忘れが少なくなるし、共有している人の反応で新しい場所を増やすこともできます。

その辺りを知っていそうな人にインタビュー

　手書き地図作りたいんですよ…という名目で話しかける私。最初は、割と有名な観光の話などをしてくれるのですが、Google マップのストリートビューでデジタルまち歩きをしておくと、「あれはなんなんだ」「あそこにあるあれは」などもっと掘り下げた質問ができるのです。下調べは大事。事前に色々な属性の人に話を聞いて、その要素をメモ。私はこのタイミングで取材用のざっくりした地図を紙に書いて、鉛筆でメモをしたり絵を書いたりしていきました。歩いてまわれる範囲の地図を作りたいし、取材相手にもどんな感じのものが作りたいか伝わりやすいのです。この適当な地図（右図）。昔、小海線の仕事をしたことがあって詳しいため、電車も書き加え、遠くて行けないけど紹介したいだけの目標物もざっくり加える。

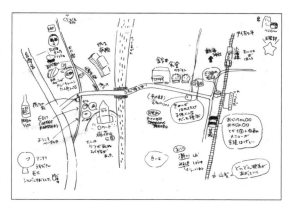

〈インタビューした人〉

・商工会議所繋がりで仲がいい人（ごはん屋さんにやたら詳しい）

・版画家（ガス屋も兼業しているので設備に詳しい）

・その地区出身のだんな（特に役に立たず）

ウェルカム・マップ

　紙に手書きしていたものを、iPadで簡単に清書。渡す用は書いてあるものが普通に読めるように、自分がまち歩きしながら記入する用は薄く印刷して上から書き込めるように準備。頼まれて作っているわけではないので、やりすぎでは？　想像力を阻害するのでは？　押し付けがましいのでは？　と渡すまでドキドキ…。でも、きっと当日歩いている間だけでは伝えきれない事が沢山出てくるはず。せっかく来てくれるなら、少しでいいからこの地域を知ってほしいし、興味のタネを残してほしい。なんなら、歩いていない時間に、その場所その土地を想像したりワクワクしてほしいし、帰ってからだってちょっとくらい思い出してほしい。

　そんなわけで、作った地図は旅館に行ったときに机に置いてある地方銘菓のポジションであれ！と思い、「ウェルカム・マップ」として前日にお渡ししました（喜ばれた）。下図が用意した地図。違う季節にあるお気に入りも書き足す。小満祭（24節気の1つである小満に長野県佐久市で行われる祭り）のキツネの張り子が大好きなので…。ちなみに黒い点線が書いて

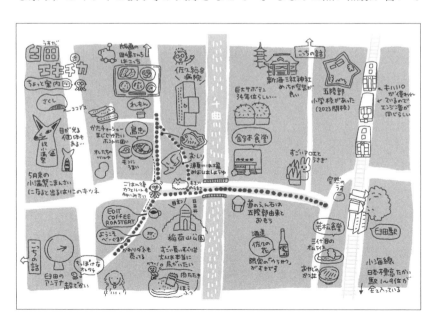

あるあたりが歩くのにいいかなと思った想定の道。前日渡すときに、鳥忠（地図左上）のカタチャーシューをお土産に持って行った。

いよいよまち歩き。見ているものが全然違う

手書き地図を作るときの楽しみは「他の人のメガネでまちが覗ける」こと

　一緒に歩くのは SABOTENS の村田さんと藤田さん。村田さんは路上園芸（道ばたの草木や園芸）を、藤田さんはおちもん（落ちているもの）を、お散歩しながら記録している二人組。紹介してくれた友人からは「自分で見つける人たちだから大丈夫」と言われていたものの、ドキドキしながらまち歩きスタート。

　駅はこっちですと案内している間だけでもあちこち蛇行して辿り着かない二人。劣化してバリバリになった看板、鳴らしたまま自転車にくくりつけられたラジオ、隙間から生えた植物や落ちている石…。「いい雰囲気！」「おもしろーい！」「これが気になってた」お世辞やひねりで言っているわけではないとわかる言葉に、ここからの2時間でどんなものが見えてくるんだろうと期待が膨らみます。

　手書き地図を作るときの楽しみは「他の人のメガネでまちが覗ける」こと。この二人のかけてるメガネなんて、いかにも楽しそうじゃない！

試される「行き当たりばったり力」

　事前に渡した地図で、立ち寄る場所として決めていたのは「巨大なサボテンがある店」1か所だけ。お店が巨大なサボテンを売りにしているわけではなく、地域で100年愛されている中華屋さんがたまたま育てているサボテン、というところもポイント。

　駅から歩いて5分くらいのこのお店をいったん目指して歩きます。カエルの置物や、前身である山崎デイリーストアの雰囲気を色濃く残したカー用品店、町中を通る水路を越え、縁石脇に勢いよく生えたのち枯れた草を「こういう髪型の人いる」と激写。とにかく前に進まない。全部行き当たりばったりなのにこんなに面白い。

出会った人と話してみて初めて知る、向こう側にある人生

　しばらく行くと、ショーウィンドウの中にアロエと金のなる木が大量にある呉服屋さんがあり、お話を伺うことができました。お店の方も私たちに興味津々…。アロエといえばその昔、私の祖母の家でも「鑑賞鉢植え兼万能薬」として扱われていた鉢植え。馴染みがあります。

　お店の方によると、アロエも金のなる木も暖かい時期は外に出しているけれど、寒い時期は家の中に入れているそう。お店の隣の小さな扉を開けてもらうと奥の方までアロエがびっしり。「増えすぎちゃってね、ほしいっていう人にあげてるの」という言葉とは裏腹に、冬の寒さから守るために家の中に入れてあげるなんて愛を感じます。レジ横にも金のなる木がびっしり置かれ、「むこう（店の奥）にもまだあるの」。永遠にあるアロエと金のなる木。店の中には、巨大なうさぎと招き猫のぬいぐるみがあり、25年前に双子が産まれたお祝いにもらったとのこと。車輪をつけられた狸の置物もあり、いろいろなものを大切にしている様子が窺えます。話を聞いてみないと知ることのない歴史って沢山ある！

景観の奥に 20 年存在していた、近所のおじいさん

　歩いていくと階段を下る細い脇道を発見。おちもん収集をする藤田さんが「すごい傘がある！」とズンズン入っていきます。

　階段脇に置き去りにされた傘は劣化していて、令和に入った直後から置かれていたのでは？と感じる佇まい。このまま令和を駆け抜けてほしいと願いつつ細い道を進みます。ダンジョンが始まりそうな道を進み、感じたことを記録できるのも手書き地図のいいところ。自分にしか作れない地図のタネはあちこちに落ちています。

　小道を抜けると小さな公園の奥におじいさんが寝転がっています。声をかけて話を聞くと、20年近くこの公園を自主的に整備されているとのこと。整備というか、花壇を耕して毎年タネを撒いて、勝手に園芸をしているというか…。

　その日は花壇の土を起こして水仙の苗を並べていた様子。「このイボダケに、朝顔の種を撒くだ。4月1日に撒くだよ。4月1日。ずっとそう。決

めてる」季節が来ると朝顔が咲き、綺麗に公園を彩るのだそう。

　「公園の、すぐそこがオラのうちでよ」公園の整備を始めた動機は「家が近いから」。それにしても土が綺麗に耕されている。きっと長年どこかで畑をされていて、高い農業スキルを持っているんだろうな。

　道に植えられているハマナスをみていたら、「この歌知ってるか？」とハマナスの歌を歌ってくれたけれど「（その歌は）わからないです」と答えると「歯がないから聞き取れないかな〜」。話がときどき噛み合わないのも楽しく感じるのは、行き当たりばったり力が発揮されているからなのかもしれません。この公園は季節によって様子を変えるんだなと想像を膨らませながらまち歩きは続きます。

巨大サボテンとともにご飯を食べる

　スタスタと歩けば５分で着く唯一の目的地「巨大サボテンがある食堂」に到着するまで１時間。室外機の上に忘れられた手袋、破れた庇の裏の蔦の柄、空き家のカーテンの樹の模様（ボタニカルで揃えてておしゃれ〜）。「これみて！」と主張しているものには一瞥しただけで、そこに佇んでいるだけの物たちに語りかけるまち歩き。「何もない」のは町ではなくて、自分の中に「何もない」のかもしれません。

　巨大サボテンのある食堂に着くと、ちょうど開店時間で、ご飯休憩をすることに。直径60cmはあるのでは？という巨大な二つのサボテンは、伊豆シャボテン動物公園からもらってきて40年近く育てているのだそう。店内には巨大サボテンのほかに、小さなサボテンや金のなる木もあります（ハリセンボンもあったので丸くてトゲトゲしたものが好きなのかも…）。

　ご飯を待ちながら、ウェルカム・マップを見返していると「それなあに？」とご飯を運んできたお店の方が声をかけてくれました。地元の人ではない村田さんや藤田さんとのまち歩きのために作った地図であることや、まち歩きを経てこれから新たに手書き地図を作ることを話すと「ちょっと貸して」と言って奥へ。調理を担当されている息子さんから商工会議所に持っていきたいから頂戴と言われたものの、まだもう少し使うので、後日お持ちしますと言ってお店を後にしました。

100 年愛されるだけあって何を食べても美味しい食堂。次に訪れるときに「地図お持ちしました！」と話しかけるきっかけができて密かに嬉しくなりました。

成長したわたしたち。大人と子どもで違う体感があります。

「もらった地図にあった、ロケット、行きたいな」ということでまち歩きの締めは長いローラー滑り台が売りの公園。今回唯一行った、観光スポットとして市でも紹介されている場所。

稲荷神社の長い階段を息切れしながら登り、ロケットの中の階段を登り（全員、暑いしか言わない）長い滑り台を大人 4 人で滑り降りました。この滑り台、外から見ていると「長くて楽しそう！」なのですが、大人が滑ると子供を大きく上回る自重のせいかお尻が痛くなるのです。実際滑ってみると、お尻がどんどん熱くなり、出口では全員満面の笑顔。地図に書いた「肉たたきをほうふつ」を体感してもらえたようです。

同じ体験でも、子供と大人、あなたとわたしで全く違うものが出てくるのが面白いところ。お尻がかゆくなってきた！と笑いながら遊んだ滑り台は、大人の体で童心のままに遊ぶ難しさを教えてくれました。ちなみに大人＋子供セットで滑ると、もっと痛いです。

話しかけてみる勇気は、向こうへ続く扉を開く

熱いお尻を抱えながら帰路へ。サボテンの食堂に孫と思しき少年が自転車で帰ってきたので「サボテンを末長く頼むよ…」と遠くからお祈りして元の道を戻ります。

「もしかしたら拒否されるかもしれない、と思っていたけれど、すごく暖かく話をしてくださって、とても楽しかった」と村田さん。今回のまち歩きで、話しかけて煙たがられたことは一度もなく、皆さん遠慮がちに、でも楽しそうにお話をしてくださいました。いつも知らない人に話しかけるのが怖いと思っているのですが、こんなに面白い世界が広がっているならば、また一歩の勇気を出そうと思うのでした。

とりあえず、出来上がった地図を持ってお話に伺えるチャンスはあるの

で、手書き地図があって良かった！の１つ目は「コミュニケーションツールとして優秀」になりそうです。

書こう！ 書こう！ 書こう！

忘れる前に Google マップに全部落とす

　メモした紙や、行った先々で撮影した写真をみながら、まずはいったん全部書き出し。この時私は、先ほどと同じく Google マップの「マイマップ」という機能を使います。これは、メモが簡単、正確な場所がわかる、確認しなくてはいけない方たちに見てもらいやすいという利点があります。建物がない場所にもポイントを落としてコメントを入力。地図を辿っていくと記憶が蘇ってきます。感じたこと、面白いと思ったこと、疑問に思ったこともメモ。そうそう、これを作っておくと、一緒にまち歩きした人とも話が盛り上がるし、別の人を誘いやすくなるのです（あと単純に便利）。

　「劣化してほとんど読めない看板」「おじさんの髪の毛みたいに生えた草」「このガラスは劣化？柄？すごく綺麗」通常の地図には載らないものもたっぷり載せる。明日にはもうないかもしれないけど、歩いた時は確かにあっ

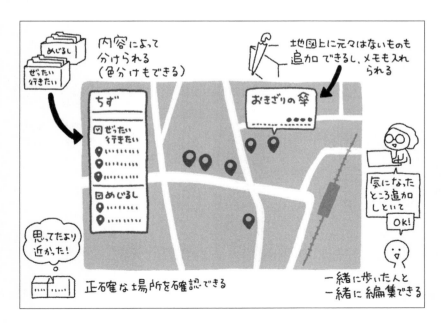

たし面白かったものたち。

横に進んでいくように書くことに決めた！なぜなら、道の片側しか歩けなかったから…そこのことをたっぷり書く！

　今回、用意した地図のほんの一部しか歩くことができませんでした。全然前に進まないまち歩き最高！　駅から本当なら歩いて5分の距離を1時間以上かけて、しかも道の片側しか観察できていません。なので作る地図は思い切ってそこの並びだけをメインに書くことにしました。当時歩いた時のこともきっと思い出せるはずです。

　メモや地図を見ながら、どこを特に書きたいかな？と考えます。たくさん言いたいことがある場所はたくさんスペースが必要！　今回は「アロエが大繁殖していた呉服屋さん」「巨大サボテンがある100年の歴史を持つ食堂（なんとまち歩きをした次の日に100周年を迎えられていました）」「無視できないロケット」を大きく書くことにしました。下図は、大体のスペースはこんな感じにしようかな、の設計図。Googleマップには載っていない細い道を一列で進んだのがゲームのダンジョンみたいだったので、そこ

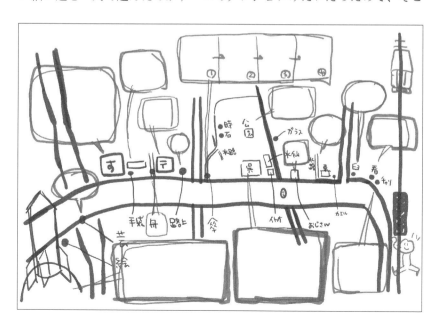

は4コマにして入れることに。目印になる線路、駅、ロケットを入れてあとは自由な縮尺で書くことにしました。

「ここが面白かった」を見出しにする

　地図を作っていると、なんとなく「お店の名前」「施設の名前」を大きく書いちゃおうかな…と思ってしまいがち。でも、これは手書き地図なのだということを思い出して、「面白かったこと・もの」を小見出しのようにつけていきます。偏愛を大きく書けば書くほど、愛が伝わる地図になるからです。タイトルは、例えば「多肉パラダイス　アロエと金のなる木」「絶対無視できない存在感　ロケット＆いなり」「サボとウスダに会えるまち中華」など…。そうすると自ずと書くことも見えてきます。芋掘りのように出てきた思い出の中でも「こんなの私だけが面白いに違いない」と思うことほど率先して地図の中に書き込んでいきます。

できあがりーーー！

地図を書くときは、なるべく絵で雰囲気が伝わるように「絵多め」に。そうすれば、言葉が違う国の人にも、漢字が読めない人にも、字なんか読みたくない人にも大切な気持ちが伝わると信じているからです。このとき、感想やセリフを言った人の簡単な似顔絵と一緒に入れると、その時の楽しさがグッと伝わりやすくなります。書いた人・歩いた人・作った人の情報も忘れずに。誰のメガネを通して見たまちなのかを書くことで、地図を面白がる気持ちがグッと増すのです。

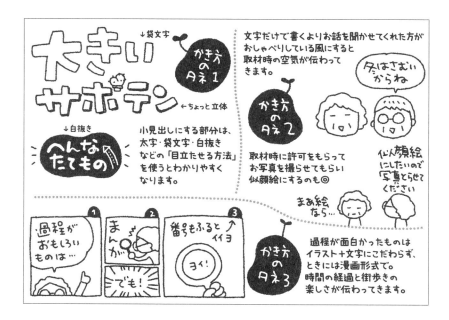

ウェルカムマップにも手を入れてみました

　まち案内に使おうと思って用意していたウェルカムマップにも手を入れました。事前に渡したこの地図は、いわば「索引」。こんなもの・ことがあるよ、というキーワードだけを散りばめた地図で、興味があって知りたいと思ったら連れていったり説明したりできるように作ってあります。今回、この地図は無事役目を果たしたので、もっと細かいエピソードを周りに書き込みました。

　車を運転していると見えるアンテナや、名物を購入した時のエピソー

ド、聞いたお話…どれも自分の経験談。他の人はもっとこれが好きかな？
こっちの方が有名かも？こっちの方が好きな人が多い？など「他の人の目」
が頭を掠めるかもしれません。ですが大事なのは「自分はどうなのか」と
いうこと。自分の話をこれでもかと詰め込みます。まち歩きの時には話し
きれなかったことを読んで、愛着が生まれてくれたら嬉しいなという思い
を込めて…。

　好きなおかずベスト３や、やたらと硬いチャーシューなど、自分の好き
なものばかり描き足した地図。まち歩きでは回れなかったけれど、そんな
こともあろうかと、おかずとチャーシューは前日に購入して一緒に食べた
のです。行っていないけれど気配を感じる近さまでは歩いたお店も、地図
があればなんだか行きつけのお店になったような気持ちになる…と信じ
て！

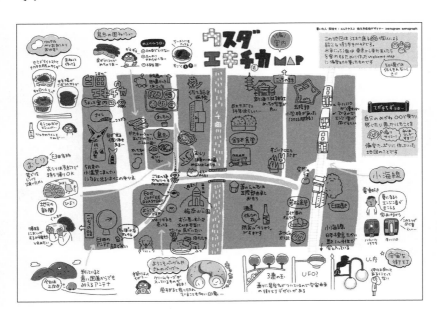

3

トレーニング編

手書き地図を書くためのクエスチョン50

6章

STEP1

まずは有名どころでウォーミングアップ！

　「よおし、さぁ書くぞ」と手書き地図を書く気分が乗ってきました。真っ白な模造紙にペンを持って、むむむ。　模造紙としばしにらめっこ。はたしてどこから始めようかな。

　実際のワークショップでも５人ほどのチームが模造紙を囲んでペンを持ったま書き出せないのはよくあること。書き出す順番を少し考えると楽になりますよ。

　その順番なのですが、いきなり難易度の高い、私だけの秘密の情報はまだとっておきましょうね。まずは比較的町で有名な、もしくは馴染みの場所を捉えることで、イメージする町の輪郭が浮かび上がります。そうですよね。みんなが知ってるあの場所なら、気負わず書けるってもの。

　場所は、ランドマークになっている場所がいいでしょう。例えば、駅や神社やお寺や山や川もいいですね。自慢のお城がありますか？　もちろん書きましょう。お次は美味しい名物、銘菓のあるお店などはいかがでしょう。昔からあるあの銅像も、いいかもしれません。ほら、筆が自然と走り出してきましたね。

町一番のあまーいお店

とりあえず街で有名なお菓子や駄菓子。
美味しいモノは書きやすいテーマナンバーワンです。みんなが笑顔になること請け合い。甘く美味しいものは老若男女だれでも書きやすいので、すぐ、あのお店がいい！と閃くことも多いのではないでしょうか。となると、それはどんな形でどんな色でしょうか。食べたらどんな風味か。お店のご主人やおかみさん、店構えも思い出しましょう。もちろん屋号も。
どんなだっけ？と思ったら、もちろん取材に GO！食べにいきましょう。書きたくなる新たな発見があること請け合いです。

仙台市の名店！「仙臺菓匠庵 菓心 モリヤ」

神社の狛犬

町に神社やお寺がある所は多いかと思います。
これらは昔からいる町のお年寄りも子供たちも知っている場所ですよね。我々もいろんな地域でワークショップをしていますが、長野県立科の大日堂の狛犬はとてもユニーク。
こんなに可愛らしい丸みを帯びたお姿は初めてです。この時は立科の子供たち主体のワークショップでしたが、私、川村研究員と江村研究員もつい書きたくて参加してしまいました。
あなたの町の狛犬はどんな顔をしていますか？

地域によって表情や佇まいが異なる狛犬

今日見た立科 Best4map（長野県立科町）作成：川村行治

たてしなゆる〜い MAP（長野県立科町）作成：江村康子

Q.1

自分が住んでいるまちと
所縁(ゆかり)がある偉人っている？

自分の住むまちに有名人はいませんか？　生まれた場所だけでなく、通りかかったとか薄めのウワサでも OK です。たとえば漫画家の水木しげる先生は、鳥取県境港で育ったそうですが、東京都調布市にも住んでいらしたので、どちらのまちにも縁がありますよね（自分が調布市の近くに住んでいるのでピンとくる例がこれだった）。カジュアルに所縁ある偉人を探してみましょう！

答え1

もう校庭にはないのだろうか？薪を担ぎながら読書をする少年像

学校の校庭に薪を背負って読書をする石像はありませんでしたか？二宮金次郎さんの像です。小田原城の中にある報徳二宮神社には二宮金次郎さんが祀られています。この神社内には、昭和天皇の即位御大礼記念として二宮金次郎像が作られました。メートル法の普及を意図して1メートルちょうどで作られたこの像は石像でなくブロンズ製。その後同じ像が千体製作されたそうですが、現在残っているのはこの一体のみだそうです。二宮さんの像って石像のイメージがあるんですけど、この像はブロンズ製なんですね。なぜブロンズ製が一体しか残っていないのか？その所以が手書き地図に書かれていたら面白いかも。

小田原歴史探訪マップ（神奈川県小田原市）イラスト：江村康子

答え2

地図作成の父はフィールドワークの大先輩

日本の地図の父といえば、伊能忠敬ですね。江戸時代に日本地図を最初に作りました。調べによると測量を始めたのは55歳と遅く、作成は北海道から始めたようです。日本全国くまなく測量し、70歳で9回目の測量の旅をしています。まさにライフワーク！我々研究員も負けちゃいられん！残念ながら、「大日本沿海輿地全図」は本人亡き後、お弟子さんたちによって完成されました。「北総の小江戸」佐原市には、指定文化財として伊能忠敬の旧宅が残されています。この写真のマップは、さらにクリアファイルで現在と当時の様子を重ね合わせて見られるような工夫がされています。

佐原まち歩きマップ（千葉県佐原市）
イラスト：小野川と佐原の町並みを考える会

答え3

地元の人なら知っている！？有名漫画原作者の出身地

地元の人はだいたい知っている長野県佐久市出身の偉人「武論尊」。言わずと知れた漫画「北斗の拳」の原作者。小学校に講演会に来てくださったり、小学校には「武論尊寄贈」と刻まれた掲示板があったりと、さりげなく子どもたちの生活にも深く関わっている。講演会では親世代がキラキラした目で武論尊氏を見ていた。最近では北斗の拳ラッピングバスや北斗の拳マンホールの蓋、北斗の拳気球もつくられ、地元でも有名な出身の偉人。なぜかジャギがよく採用されている。

ぴよぴよツアーズ旅のしおり
（長野県佐久市）作成：江村康子

Q.2

探せば出てくる？
土地にまつわるエトセトラ

....

日本の道路の起点は日本橋というのは有名な話でありますが、皆さんの住んでいるまちにも土地にまつわる話はありませんか？武将が腰掛けて休憩したと言われる大岩、馬を繋いだと言われる松の木など、歴史的なものから文化的な活動の拠点となった最初の場所まで、ちょっと探せばでてくるかもしれませんよ！

答え1

点字ブロック発祥の地

道路にある点字ブロックの正式名称は、視覚障害者誘導用ブロックと言い、1967年に世界で初めて岡山県に敷設されたそうです（記念碑もある）。そもそもこの話に気がついたのは、手書き地図作りのフィールドワーク中に地元の方が発した「点字ブロックって岡山発祥なの知ってる？」みたいな何気ない会話からでした。やっぱりフィールドワークでは、普段は気付かないまちにまつわるエトセトラが出てくるもんですね。

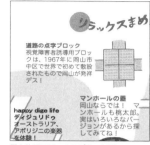

岡山休日リラックスプラン MAP
（岡山県岡山市）イラスト：森邦生

答え2

教えてもらって初めて気づいた！土地の境界争いの歴史

佐久市の街中の一角や旅館の庭の隅に、特に何の説明もなくたたずむ小さな石碑。気に留めたこともなかったけれど、歴史に詳しい人に聞くと「境界石」というらしい。昔、千曲川が氾濫するたびに土地の境目があやふやになり「どこまでがうちの土地か」で揉めたらしい。それをきっちりするために作られたのがこの石。「五番ヨリ百六拾七間歩、六番ヨリ百四載間」。川の氾濫の歴史とともに、今も何で仲がいまいちなのかの理由が垣間見える。見た目は地味だけれど、みんなにお知らせして「これがあの…」と思ってもらいたくなっちゃう歴史の遺物。

まちなかに息づく歴史の情緒　野沢宿
（長野県佐久市）イラスト：江村康子

答え3

やけに凝った作りに注目！　道をてらすデザイン街灯

夜道を歩く私たちを照らす街灯。いつもは気にも留めないけれど、ふと見上げると思った以上に凝った造形をしているのが「街灯デザイン」！　臼田宇宙観測所があることから宇宙の街として知られているということもあって、星座にちなんだ街灯デザインも。「これは UFO ？」「これはオリオン座の3つ星？」と想像しながら見るのも楽しい。大抵は説明書きなんてないから全部想像なのも悪くない。ちなみに東京の恵比寿にはビールの街灯があるらしい。自分の住んでいる町だけでなく、旅先で街灯を見てみるとその土地を楽しめるヒントが隠されているかもしれないね。

ウスダエキチカ MAP（長野県佐久市）
作成：江村康子

Q.3

よそに誇れる
歴史ある建造物はある？

歴史ある建造物というと、法隆寺？金閣寺？などの誰でも知っている超メジャーな建造物をイメージしてしまいがちです。もちろんメジャー級の建造物を思い出してもらってもOKですが、「そんな建造物はわたしのまちには無いかも…。」なんて思った方も、安心してください！視点をちょっと変えてみると、みなさんが住んでいる住宅街の中にも過去の歴史を物語る建造物が眠っているかもしれません。

そんな歴史があるのか

すみつぼ

答え1

まちに残る住宅自体が歴史的な価値を持つ！山形県遊佐町の住宅

山形県遊佐町で行われた、昭和30年代の街並みを再現する手書き地図のワークショップにて。このまちの当時の住宅は、住んでいる人の職業と家の造りが密接に関係していました。特に商売を営むご家庭ではお家とお店がジョイントしたような構造になっていました。逆に農家さんなどはお店部分が無い家の構造になっていたのでした。昭和30年代ではこういった家の作りが一般的だったそうです。 また、出窓部分の木工装飾や、瓦や雪の重みに耐える実用性と幾何学的な美しさを兼ね備えた鏡小梁という構造も当時の職人さんたちの腕前が見てとれます。

昔の街並み十日町家の造り大図鑑
（山形県遊佐町）

答え2

江戸優りと称されたまちに残る旧三菱銀行佐原支店

千葉県佐原市は、江戸優り（江戸をしのぐほど栄えていること）と称された歴史深い水郷のまち。そこには当時の三菱銀行の佐原支店、三菱館が今でも保存されています。江戸時代当時の物流の主役は舟運。利根川に程近い佐原も物流の拠点として栄えたため、銀行の支店がいち早く出店するなどしたそうです。歴史マニアとしても建造物マニアとしても両方楽しめる建造物ですね。佐原の街並み自体も歴史情緒を感じる素敵な場所でした。余談ですが、佐原市は日本の地図業界のレジェンド的な存在である伊能忠敬さんゆかりの地でもあります。

佐原まち歩きマップ（千葉県佐原市）
イラスト：小野川と佐原の町並みを考える会

答え3

禁酒運動を推進して100年！岡山禁酒会館

路面電車に乗っていても、目につく木造3階建てのレトロな建物。それだけでも気になるのに、看板には「禁酒」とストイックな言葉が！ この建物はなんと1923年（大正時代）に建てられ、岡山空襲も乗り越えた登録有形文化財。当時、社会不安からアルコール依存になる人が増え、全国的に禁酒運動が盛んになり、各地で禁酒同盟が結成されたそうです。1Fにはキリスト教関連の書店やカフェがあり、資料館になっているので建物の中も見られます。中庭では、都市の喧騒を忘れるゆっくりした時間が味わえます。さらに、禁酒会館の向かって右後ろには岡山城の櫓と石垣が！ 大正時代と江戸時代の共演が楽しめる、岡山ならではのスポットです。

岡山休日リラックスプラン MAP
（岡山県岡山市）イラスト：森邦生

Q.4
まちのシンボル
（神社編）

手書き地図ワークショップの座談会で盛り上がる話題の1つが、皆さんの地元にある神社です。住宅街の一角で地域を見守る小さな社や、自然そのものが神様となった巨木・磐座・滝なども「神社」として考えてみましょう。そこには地元の人たちの思い出がたっぷりあるはず。何かを必死で祈ったあの日や、夕暮れの境内で好きな人と語り合った青春時代のこと、仕事で失敗して悔し泣きをした思い出など、個人的なエピソードはありませんか？　ぜひ聞かせてください。ちなみに僕は、友だちと喧嘩をしてしょんぼりしたのも神社だったし、その後仲直りしたのもやっぱり同じ神社だったという思い出があります（遠い目）。

答え1

源平合戦で有名な熊谷直実は現・埼玉県熊谷市で活躍した武将なり

地元で「三ノ宮さま」と呼ばれる三之宮比々多神社。歴史的にも地域的にも、いまなおとても大切な存在だそう。境内で縄文遺跡が見つかったことから日本最古クラスの信仰の場だった説があったり、源頼朝が北条政子の安産を祈願したりと、時代時代のエピソードに事欠きません。例年4月22日には大祭が行われ、神奈川県内の三つの地域からそれぞれ山車が出ます。三ノ宮は虎退治で有名な「加藤清正」、栗原は源平合戦の一の谷で平敦盛を討ち取った「熊谷直実」、神戸は歌舞伎の伽羅先代萩に登場する「荒獅子男之助」の人形が、それぞれの山車に設置されているのだとか。神社の公式Xの発信がまめなので、地元民は日常的にチェックしているらしい。

地元の人でも意外と知らない比々多地図
（神奈川県伊勢原市）

答え2

日本一大きい石造の鳥居を有する和霊神社を護る狛犬たち

和霊神社は、無念の死を遂げた伊達家の家臣、山家清兵衛をしのぶ神社です。優秀な家臣だった清兵衛は、伊達政宗の息子秀宗が宇和十万石を付与された時に、総奉行として藩の財政を立て直すよう命じられ奔走します。が、ありがちな幕府の意地悪（牽制ですね）で大阪城の石垣修繕などに駆り出され財政がさらに悪化。これらをきっかけに不満を爆発させた部下の武士達から清兵衛は暗殺され、悲しいことに子供3人も痛ましい結末を辿り…。諸々割愛しますが、そんな事もあり享保16年この地にこの神社が建立されました。空襲で焼けた後に再建されたとても立派な神社であり、市民の憩いの場所でもあります。和霊神社では今日も狛犬達が見守っています。

エモエモマップレトロな街
（愛媛県宇和島市）

答え3

子どもの成長の節目節目を見守ってくれている新開三社神社

お宮参り、七五三、初詣に夏越の祓と、人生の節目に関わる神社。何もなくても行きたくなる雰囲気のここは、鎮守の森にムササビやフクロウもいるらしい地域に愛された神社。元々地名の由来になった神社でもあると言われていて、遠く諏訪湖の「御神渡り」（長野県で必ず冬のニュースになる）で神様が渡ってくる神社でもあり、興波岐命、建御名方命、事代主命、誉田別命が祀られています。神楽殿は「君の名は」の舞台のモデルになったのでは！？とも言われ、聖地巡礼に来る方も多いそう（新海誠監督は隣町の出身です）。

ウスダエキチカ MAP（長野県佐久市）
作成：江村康子

Q.5
まちのシンボル
（仏閣編）

地元の神社ネタとともに手書き地図ワークショップの座談会で盛り上がるのが「仏閣」などに代表される寺院です。お寺にもまた、地域ならではの風習や思い出、歴史的なエピソードがたくさんあるはず。また、あなた自身とお寺の関わりもあったりするかも？ちなみにぼくは寺町で育ったため、遊びの場のひとつがお寺でした。駐車場でサッカーもしたし（危ないと怒られた）、夏の夜は肝試しもしたし（夜に騒いで怒られた）、除夜の鐘をついたりした（必要以上について怒られた）という、怒られた記憶ばかりですが。そんな思い出ばかりのお寺に、今ではご先祖さまのお墓参りに行くのですから、成長したものです（遠い目）。

答え1

お寺に湧く！？日本有数のナチュラルウォーター

長野県は遠山郷の龍淵寺。龍の淵と書く通り、遠山川の蛇行によってできた淵にあたる場所に位置する寺だからという説があるそう。名物は、四本の巨杉の根本が一体になった観音大杉。右から夫婦杉、空ちゃん、愛ちゃん、光ちゃんと、地元の小学生によって名付けられました。さらに、それを上回る名物がこのお寺に湧く「観音霊水」。知る人ぞ知る名水です。カルシウムなどが多く含まれる日本有数のナチュラルウォーターで、その濃度は長年使っているやかんに白くこびり付くほど。これをお目当てに、近県から水汲みにくる人が絶えないのだとか。お寺に備え付けられたノートにコメントを書くと、物知りの住職さんからコメント返しがあるそうですよ。

じっくりゆったりのんびり歩け歩け左岸
MAP（長野県飯田市遠山郷）

答え2

伊勢原は大山だけじゃない！地元民が愛する日向薬師

神奈川県伊勢原市の絶対的シンボル、大山。神奈川きっての観光スポットで、その東麓に広がるのどかな地域が日向地区です。その名の通り太陽の陽射しを燦燦と受ける土地柄で、地区の中心にあるのが日向薬師。元々は日向山霊山寺という名称だったそうで、薬師如来を信仰する霊場でした。「かながわの名木100選」に選出されている巨木「幡かけ杉」は、なんと樹齢800年以上。さらに「かながわの祭り50選」に選ばれている「神木のぼり」では、例年4月15日に行われる祭事において山伏の勇壮な姿を見ることができます。市内にある伊勢原大神宮にも大山阿夫利神社にも比々多神社にだって負けていない、地元の人が誇らしげに語る日向薬師なのでした。

日向より道MAP！（神奈川県伊勢原市）

答え3

教科書でみたあの人が！？地元民には当たり前の存在、一遍上人

教科書で名前を見たな、テストにも出たな…という認識だった一遍上人の「踊念仏」が今も残る長野県のこの地区。国の重要無形民俗文化財にも指定される凄いものだから、地域の人は当たり前のように知っているけれど、外から来た人にとっては「えっ！あの！？」と、びっくりする偉人。超有名戦国武将や超有名政治家など色濃く地域に名を残す歴史上の人物・土地はすぐにわかるけれど、「教科書で見た…！」人物の足跡に出会うと、超有名史跡に行った時とは違った感動があって、ちょっとニヤッとしちゃうよね。

まちなかに息づく歴史の情緒　野沢宿
（長野県佐久市）イラスト：江村康子

Q.6

お土産に最適！
おらほ（私）のまちの名物はこれだ！

自分のまちに友だちが遊びに来たら「これだけは絶対にハズせない」お土産アイテムってありませんか？　駅前のケーキ屋さんの個数限定のシュークリーム？　それとも老舗の和菓子屋さんのお饅頭？　まちの中のメジャーなお土産品などを考えて手書き地図に書いていくのも OK です。書き始めると最初は思い浮かばなかったような、自分だけがオススメするような名品が思いつくかもしれませんよ。

答え1

祭りがあるくらい愛されている、大山とうふ！

畑も田んぼも、そして海も。暮らしにも営みにも恵みの雨を願う山こそが、相模の「雨降り山」こと伊勢原市の大山です。この「あふり」は大山阿夫利神社にも通じる読みですから、水の良さは推して知るべし。その美味しい水の恩恵を受ける名物のひとつが豆腐。お土産にもいいし、食事処でいただくのもいいし、思いきって宿坊に泊まれば豆腐料理のおもてなしもあるし、もうとにかく豆腐が最＆高なのです。毎年3月になると、直径4mの大鍋で湯豆腐をふるまう「大山とうふまつり」が開催されます。仙人鍋と呼ばれるその湯豆腐は、当たり前ですが大山とうふが使われています。そこに大山菜も加わって、初春の山里がグツグツ、ワイワイと賑わうんですね。

おおやまふもと MAP（神奈川県伊勢原市）

答え2

年代物もある？小田原の梅干しと足元を飾るカラフルなサンダル

神奈川県小田原市の手書き地図フィールドワークで最初に気になったこと。それは、さまざまなお店の棚に年代物の梅干しの瓶が鎮座していることでした。その中でも圧巻は、明治創業の専門店「ちん里う」さん。明治時代に漬けられた梅干しや、梅干しの種で作られた小田原城などがショーウィンドウに飾られています。またもう1つのおすすめとしては、漁業従事者用サンダル、通称「ギョサン」もユニークなお土産品。漁業者仕様のため滑りづらい構造になっており、水に浮くものもあるそうです。歴史あるまちだからこその梅干しから、実用とおしゃれの両方を楽しめるサンダルのお土産まで幅広くラインアップされている小田原なのでした。

小田原歴史探訪マップ（神奈川県小田原市）イラスト：江村康子

答え3

かまぼこ通りではかまぼこのテイクアウトが楽しめる

言わずと知れた小田原の名物「かまぼこ」。地元に愛される名物の食べ方なら地元の人に聞くのが一番！（だって食べている量が違うだろうし）ということで、小田原駅前にある老舗の土産物店「まると」のご主人に聞いた食べ方は、「1cm の厚さに切った後、半分に切りいちょう型にしたものを一口で食べる」というシンプルなもの。実際、食べ応え・かみごたえ・口の中の存在感どれをとってもベストな食べ方でした。また小田原市内には「かまぼこ通り」なるものがあり、揚げかまぼこをテイクアウトして店先で食べることもできます。もちろん、かまぼこをアテにビールや日本酒なども美味しくいただけますよ！

小田原歴史探訪マップ（神奈川県小田原市）イラスト：江村康子

Q.7
いにしえの遺跡
パワースポットは？

よそから遊びに来た人におすすめできるほどの、今流行っている場所とかお店。「そんなところ、あったっけ？　ないない！」このフレーズ、手書き地図ワークショップでよく耳にします。地元の人にとっては日常でも、他の地域の人にとっては非日常。たとえば、巨石や巨木などの神懸った自然資源・習わし・ご利益などは、いわゆる聖地＝パワースポットとして昔から今に語り継がれていること多々。よくあるのは、山の上から転げ落ちてきた巨岩がなぜか途中で止まったままだということに因んで、その岩が「落ちない」神様だと言われるようになった、なーんて話。受験生はスルーできません。こういうのが面白いんですよねえ。

答え1

動かしたらその場で人生終了！？恐ろしいのに見た目が可愛い鳴石（なるいし）

長野県立科町の白樺高原は、蓼科山の裾野に牧場が広がるのどかな地域。ところが、雨境峠（あめざかいとうげ）という場所に、なにやら物騒な巨石があるらしい。どれどれ見に行ってみようということで地元のみなさんとフィールドワークをしたところ、ありましたよ、鏡餅のような姿のかわいらしい巨石が。んー、ハンバーガーにも見えるな。いやいやどら焼きでしょう！なんて、余裕をかましていたのも束の間のこと。言い伝えによれば、この石を動かそうとしたり割ろうとすると、その人は憤死するそうです。ふんし。試しにやってみようとか言いにくいタイプの伝説ですね。ああ、恐ろしや。それにしても「憤死」なんていう言葉、恐らく人生で初めて発しましたよね…。

標高 1530m 天然クーラーの白樺高原
（長野県立科町）

答え2

遠山郷には目の神様がいらっしゃいます

長野県飯田市にある遠山郷の伝統的なお祭り、霜月祭りは千と千尋の神隠しのモデルになったとも言われていますが、五色温泉から少し歩いたところにこじんまり苔むし鎮座するお姿の「目の神様」はとても味わいのある、まさにジブリっぽい佇まい。この地のような山間部では、昔はお医者様が近くにいないこともあり、目の病気を治せなかった住民達が神様に治して貰おうと願をかけて祀ったと言われています。因みに、東京都中野区の新井薬師（梅照院）でも眼病であった時の将軍徳川秀忠公の娘の奇跡的な回復したことで有名です。でも遠山郷の目の神様はもっと原始的な可愛らしいお姿。木々を背に大きな瞳で見つめられます。

遠山クエスト （長野県南信濃 遠山郷）

Q.8

実はここって
ロケ地だったの知っている？

映画やドラマのロケ地って、ファンにとってはたまらない聖地そのものですよね。ファンでなくても、そこに暮らす人にとっては地域のニュースにもなるし、その作品がヒットしたりすると、聖地巡りに関連した商売なんかも登場したりして、地域が賑わうきっかけになります。じつはそういうロケ地、あるんだよね！ということなら、ぜひ教えてください。ついでに、その撮影期間にあったエピソードなんかも添えると、手書き地図的にはとてもいいネタになるはず。

答え1

スクリーンで見たあの場所！地元の人がエキストラ出演も

たまたま歩いてたら「あれ？ここ。もしかしてそうじゃない！？」と気がついてその場で調べてみたら…ここ長野県上田市で撮影されたものだと知り鳥肌。フィルムコミッションがあることもあって、「青天の霹靂」「犬神家の一族」「赤黄色の金木犀」などたくさんの映画が撮影されている。ちなみに「青天の霹靂」主演の大泉洋さんは上田映劇の名誉館長で、名前が刻まれた椅子もある。何なら地元の人がエキストラで出ている映画やドラマもある。スクリーンの中のあの景色がここにある！という感動を手書き地図に書き留めたいしお知らせしたくなっちゃうのが、「ロケ地」だよね。

超個人的上田案内（長野県上田市）
作成：タナカチカコ

答え2

ドラマ版「時をかける少女」のロケ地　植田理容所

日本テレビ系列で 2016 年に放映されたドラマ版「時をかける少女」。幼馴染の 3 名の高校生、芳山未羽（黒島結菜）、深町翔平（菊池風磨）、浅倉吾朗（竹内涼真）を中心に、恋や進路に迷い、葛藤しながら成長する若者の姿を描いた青春ドラマでした。この竹内涼真さん演じる浅倉五郎の実家である「バーバー浅倉」として登場したロケ地が、沼津の「植田理容所」。昔ながらの懐かしい感じの理容所で、店内には出演者のサインが飾ってあります。沼津は「ラブライブ！サンシャイン！！」のロケ地としても聖地巡礼に訪れるファンが多い場所です。ロケ地については、撮影時の様子や逸話なども含めて手書き地図に残しておくと貴重な記録になりますよ。

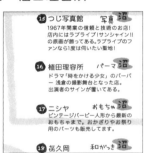

底なし沼津マップ（静岡県沼津市）
イラスト：中尾仁士

答え3

サカイ引越センターの CM ロケ地、旧木沢小学校

長野県飯田市にある遠山郷は、大きくて明るい谷に挟まれた山深い地域。遠山川の右岸と左岸にわかれて作成した手書き地図は、そんな谷の地形を逆手にとって表現されたアイデア作品でした。引っ越しのサカイの CM に登場した旧木沢小学校は、昭和 7 年に建てられて平成 12 年に廃校となった、木造校舎が印象的な小学校です。今では各教室が地域の資料室となっており（秘密の小部屋には古い書物も！）、施設として第二の人生を歩んでいます。たかね校長が昼夜を問わず校舎の隅々までパトロールしていますので、もしひざの上に乗ってくるようなことがあれば、やさしく撫でてくださいね。あ、校長、猫なんですよ（2023 年 11 月に永眠）。

よってけよってけ MAP
（長野県飯田市遠山郷）

Q.9

そこにゆるキャラは居るのか？

自治体の愛らしいマスコットから、各地の名産品のキャラクター、さらには非公式の勝手キャラ。もはやいない地域を探すこと自体が難しいかもしれない「ゆるキャラ」。あなたのまちでも活動しているゆるキャラはいませんか？　ゆるキャラを発端に今まで知らなかったまちの魅力を発見できるかも！？

答え1

つくば市はゆるキャラの宝庫？

茨城県つくば市の「市の鳥」はふくろう。それをモチーフにしたキャラクター「ツクツク」は、市のシンボルキャラクター。さらに、研究学園都市のつくば市らしいイメージキャラクターは、宇宙飛行士型ふくろうロボット「フックン船長」。今や、インスタグラムのアカウントや LINE スタンプまで揃っています。そして、30 年以上経ついつまでも愛されているキャラクター「コスモ星丸」は、1985 年に開催されたつくば科学万博のキャラクター（当時はゆるキャラという言葉がなかったかも）。つくば市はたくさんのゆるキャラがラインナップされているまちなのでした。

つくば子育てファミリー知っトク MAP
（茨城県つくば市）イラスト：江村康子

答え2

商店街のマスコットキャラクター

北海道恵庭市にある恵み野商店街には、めぐにゃんと呼ばれるマスコットキャラクターが。お買い物好きのため買い物袋を手に下げて持っていて、花飾りの首輪でさりげなく花のまち「恵庭市」をアピールしている。北日本招き猫協会から商店街に派遣されたらしい。このようにゆるキャラにはそれぞれキャラクターの設定が書かれていることもあり、それがまちの特長をシンプルにまとめていることが多いです。商店街の手書き地図作りをするときには、まずマスコットキャラクターが存在するかどうか？を最初に調べてみるのもありだと思います。

あなたはどうして恵み野へ？
（北海道恵庭市）イラスト：江村康子

答え3

地声で喋る！？ゆるゆる設定のキャラクターこそ地方の面白さ

地域にキャラクターは多いけれど、注目したいのは長野県佐久市にある基幹病院のキャラクター「星太郎」。JAXA の施設がある星の町であることから星の形をし、足には救急車を履いている。病院のキャラクターなので地元テレビで健康体操をしている。もちろんお祭りにも出てくる。会った時、喋っていたのには驚いた。中の人が喋っているの？地声で？普通に喋っていたよな…。そんなゆるい設定のキャラクターの宝庫なのが「地方」なのではないかと思っている（ジャンケンするときだけ葉っぱを外して生身の手を出すキャラクターも隣の町にいる）。

ウスダエキチカ MAP　（長野県佐久市）
作成：江村康子

Q.10

これが地元の超！ランドマーク
「お城篇」

今は駅を中心に都市開発がされていますが、鉄道ができる前は、やっぱりお城が文化の起点というケースが多いですよね。それぞれの国のお殿様の元で働く人が多いほど、もちろん城下町中心に人が集まるので商売やそれに伴う文化が栄えます。たとえば、今でも和菓子屋さんが多い（美味しい）町は、歴史ある町、特に城下町が多いようです。はっと見上げると、我が町にはいつも城がある。お城がある町に住む方にとっては今でも誇らしい我が町のランドマークではないでしょうか。

答え 1

遠山郷の中心部を見下ろす展望地に再現された「和田城」

お城といえば、ざっくりふたつのパターンがあります。山の地形をうまく利用して曲輪を作った山城と、平地に堀と塀で囲んだ石垣の上に築く平城です。山にある城と聞くと、うっかり山城タイプを想像してしまいますが、和田城はまるで平城のように頑丈な出で立ちの城郭タイプ。和田地区と遠山谷を見晴らす展望スポットに再現されたものです。城内に入ってみると、中は近代的な設備になっていて、遠山郷の代名詞ともいえる「霜月祭り」の資料映像が秀逸。いやそれ以上に必見なのは、この霜月祭りで使われる神々のお面のレプリカ展示でしょうか。その数なんと 200 点ほど！迫力ありますよー。

じっくりゆったりのんびり歩け歩け左岸 MAP（長野県飯田市遠山郷）

答え 2

遊園地が併設されていたお城「小田原城」

難攻不落の代名詞的なお城である「小田原城」。現在築城されている場所は元御用邸だそうで、江戸時代以前は現在の小田原高校の方にあったと言われています。かつては遊園地や動物園が併設されていて観覧車やメリーゴーランドなどもあったそうです。平成 21 年ごろまではまだ象が居たとか…。ちなみに城内には今でもこども遊園地が残っていて、豆汽車やカートで遊ぶことができます。しかし、天守閣の観覧車に乗ってまちを見下ろすとお殿様の気分になれそうで最高に気分が良かったでしょうね。

小田原歴史探訪マップ（神奈川県小田原市）イラスト：江村康子

答え 3

海に面する地形を活かした「宇和島城」

宇和島城は、1601 年に築城の名手藤堂高虎によって築かれました。その後、伊達家 9 代の居城になっています。天守は 1666 年頃に 2 代目伊達宗利によって建て替えられました。宇和島城は現在では貴重な現存 12 天守のひとつとなっています。ちなみに江戸時代には 170 もあったんですね。ちなみに城の周りの木々も昔のまま。昭和 9 年に天守は重要文化財になっています。街の中心部の丘陵の上にあり、周辺の海に面する地形を生かしたお城です。ワークショップでは天守までチームで歩いて取材に行ったものの、暑い時期だったこともあってか若い女子高校生もヘトヘトでしたよ。敵を寄せつけないお城として機能していますよね。

パクパク歴史 MAP（愛媛県宇和島市）

Q.11

これが地元の超！ランドマーク
「山篇」

日本全国どこにでも共通するランドマークといえば、それは間違いなく「山」でしょう。日本は国土の約7割が山地であり、標高の高い低いにこだわらなければ、どんな土地にも山があります。大都会・東京にだって山はあるし、海に囲まれた沖縄にだって山がたくさんありますからね。辞書によれば、山には明確な定義がありません。平地より明らかに高く盛り上がった地形のことを指す程度です。あるいは"地名"も面白い。ちなみに、手書き地図ワークショップのマップメイクにおいて、皆さんが真っ白な模造紙にまず書き落とす絵が、山か川か海。まあ、道路のケースもありますが。

答え1

生活に密接に関わっている「浅間山」

晴れている日には必ずと言っていいほど姿を見せている浅間山。どーんと大きいので絶対に無視できない存在です。

時には「浅間の方向に向かって進んで右手側」と場所の説明に使われたり、「今年の恵方は浅間に対してどっちだっけ」と方位磁針がわりに使われたり。季節の変わり目を教えてくれるのも浅間山。3回雪が降ると里にも雪が降ると言われていて、浅間が白くなるとタイヤ交換を始めます。ほかにも「浅間に横に細長い雲がかかっている時は晴れる」など天気予報にも使われる、生活着型の山なのです。もちろん手書き地図にとっても欠かせない存在です。なにしろ入っているだけで方角がわかるので！

びよびよツアーズ旅のしおり
（長野県佐久市）作成：江村康子

答え2

遊佐町のシンボル「鳥海山」は、ちょうかいさん？ちょうかいざん？

これだけわかりやすい名山があると、地元の超！ランドマークって言いやすいですね。山形県と秋田県にまたがる鳥海山は日本中の登山者が憧れるような美しくも堂々とした山容をしていて、日本海を見下ろす眺めは最上級。県境をまたがる巨大な山であり、秋田県側では「ちょうかいさん」と、山形県側では「ちょうかいざん」と、それぞれ親しみと敬意をこめて呼んでいます。ワークショップに訪れた遊佐町は山形県なので、ちょうかいざん。その手書き地図にも必ず描かれる、まさにランドマーク的な存在。これ一つで方角がわかるというのもミソ。

十日町通り思い出マップ昭和 30 年代を
再現蔵の市編（山形県遊佐町）

答え3

県下トップクラスの観光地であり登山者にも大人気の「大山」

神奈川県伊勢原市で、市のシンボル「大山」のふもとの寄り道マップを作ったときの作例がこれ。模造紙の一番上、言ってみれば地図を描く枠外にドシン！と描かれたのが、まさに大山でした。山のふもとの地図だから、山を天にして表現したかったと作成グループの皆さんが話していたのが印象的で、山の扱い方ひとつでテーマがわかりやすくなった好例でした。

おおやまふもと MAP（神奈川県伊勢原市）

Q.12

体験も可能！
歴史的トリビアのある場所やお店

そのまちに古くからあるお店。軒先には一見すると商売に関係なさそうなオブジェが飾られていたり、店内には古い写真が飾られていたりするお店を見たことはありませんか？　もしかしたらそれはお客さんからの「ツッコミ」を待つサインかも知れません（もちろん違う場合もある！）。そういうアイテムをきっかけにお店の人に話しかけると自分の知らなかった歴史的なトリビアやまちのウワサに出会えるチャンスがあるかも。お店のサインを見逃すな！？

答え1

そのアクセサリー、実は「象嵌(ぞうがん)」です

熊本YMCA学院での手書き地図出張授業を行う際のフィールドワークで見つけたお店、「〜肥後象嵌(ひごぞうがん)　光助〜」。象嵌とは、異なる素材をはめこんで作る技法のこと。 シリアのダマスカスで生まれた技術がシルクロード経由で日本にまで伝わり、象嵌として現在も使われているそうです。刀のつばがステータスを表すアクセサリーとなった時代に、肥後象嵌は大変注目されたそうです。熊本は細川家のお殿様のおかげで、美術や工芸を他国に披露するという面でも有利だったのでしょう。 現在では、贈り物に万年筆やネクタイピン、アクセサリーなどに応用されて販売されています。さらに熊本では社章を作る会社が多いらしく、象嵌のレアな社章も作られています。

熊本YMCA学院での出張授業フィールドワークより(熊本県熊本市)イラスト：江村康子

答え2

戦国武将小西行長の弟さん、実は薬屋でした

神奈川県小田原市にある小西薬局。ご先祖様が戦国武将小西行長の弟さんと言われており、1633年に創業（関ヶ原の戦いの33年後）という歴史ある薬屋さん。関東大震災で火災の被害に遭わなかった建物は登録有形文化財に指定されており、もはやまちなか博物館的な存在。薬の棚や当時の道具なども公開しており、小学生が授業で訪れることもあるそうです。お薬だけでなく、小西薬局のロゴの入ったトートバックなども販売しています。なんとも商売上手！！

小田原歴史探訪マップ（神奈川県小田原市）イラスト：江村康子

コラム

「街の成り立ちの手がかりを探せ！」

駅前ロータリーにはそういえばよく、ポーズをしているブロンズの裸像や、どうやら偉い人らしい胸像がありますよね。いつも通り過ぎるのに記憶はおぼろげ。
それはどなたの作品でいつ作られたのだろう。凛々しいお顔の胸像は歴史上の人物かとは思いますが、どんな方だろう。皆さんの街に関わっていたに違いはありませんよね。
他には例えば沼津や宇和島では、機関車が飾られていましたよ。この街が発展するために必要な人や物資の移動を支えてきた立役者が今は静かに佇んでいます。
我が街がこうしてあるのも、発展に寄与した人物や鉄道が活躍してくれたからこそ。
気付きそうで見逃していた我が街の、成り立ちの手がかり。まずはチェックですよね。

7章

STEP2

あなたのまちの耳寄り情報を教えて！

　最近はテレビでも、各都道府県のマニアックな郷土料理を紹介するような番組や、地元のタクシードライバー行きつけのお店を紹介するような番組をよく見かけますよね。地元ではみんな普通すぎてスルーしてしまうものも、他所から来た人は新鮮な体験として捉えてくれるかもしれません。

　ステップ2では、住んでいるからこそ知っている地元ならではのローカルな情報に気付くためのトレーニングをしていきます。住んでいる街の当たり前のコトやモノに「あれ？どうしてこうなっていたんだっけ？」と立ち止まり、己の中にある好奇心を最大値にしてトレーニングに臨んでみてください。

たとえば ユニークな給食メニュー

伊豆七島の神津島にある神津中学校で手書き地図作りの授業をした時の話。ちょうどコロナ禍ということもあり、オンラインでの授業となった。いつも通り身の周りの雑談から手書き地図のネタを探していくのだが、初対面かつオンラインということもあってなかなか雑談のテンションが上がらない。そこで「給食のメニューってどんなのものがある？」と聞いてみると、生徒の1人が、「金目鯛とかですかねぇ…特に変わったものは出ないですよ。」とのこと。ぐさりときた。給食に金目鯛。いや、もうこれが変わっているから！！　茨城県出身の私（赤津研究員）は金目鯛なんて給食に出たことないからびっくり！地元では金目鯛があたりまえ過ぎてそのユニークさに気が付かないんですね。ちなみに「焼き鮭とかは出るの？」と聞くと「（給食に）出たことなーい！」だそうで。皆さんの思い出に残っている給食は、ひょっとしたらその地域の特色を表すユニークな食材だったかも。わたし？そりゃ「給食に納豆が出る」ですね。

たとえば うちの地域ならではのおやつ

長野清泉女学院に手書き地図の出張授業に行った時の話。授業を行うにあたって委員会メンバー（跡部研究員、江村研究員、赤津研究員）の3人で学校周辺の事前フィールドワークに。そこで見つけたのが、ユーチューブのアイコンに鯉焼き屋と書かれた文字。うーん、これは気になる。フィールドワークは8月下旬。歩き疲れた私たちに必要なのはもちろん冷たい糖分である、と言い聞かせてお店に入ってみると「鯉焼き最中アイス」を販売する藤田九衛門商店というお店でした。ご主人に話を伺ってみると、以前は別の場所で料理人をされていたそうですが、訪れた善光寺の街の雰囲気が気に入ってここで商売をしよう！と思われたとのこと。街の人たちとも相談し色々と試行錯誤の結果、ここは信州だし、鯛じゃなくて鯉でしょと（長野県には、鯉をお刺身や、お味噌汁などにする鯉を使った料理がたくさんあります）。最終的に「鯉焼きアイス」を販売することにされたそうです。とりあえず、なんだか面白そうなことは聞いてみるという精神は、手書き地図を書くにあたって必要なマインドであることを認識したのでした。

謎の看板を辿った先には地域ならではの耳寄り情報が！あなたの街の謎看板にも美味しい秘密が隠されているかも…。

地域ならではのオリジナルアレンジが詰まった街自慢の商品。細かい彫り模様は特注の金型で作られているんだとか！

Q.13

子育てママパパに耳寄りな情報は？

緑豊かで遊具がたくさんあり、虫取りもできる公園。食事の後に子どもにはアメちゃんをくれるまちの中華屋さん。深夜の体調変化にも対応してくれる病院探しなど…子育てママパパ向けに実体験を共有するツールとしても手書き地図はお役立てできるかも知れません。

答え1

優しい先生が遅い時間まで対応してくれるクリニック

子育てあるあるの1つ「子どもは夜急に熱を出しがち」（過去の実体験より）。病院に連れて行くべきか、様子を見るべきか…先生に怒られやしないだろうか！？などなど。子育て初心者のママパパにとっては子供の体調急変はビビるし、焦るし、不安になるし…そんな時に安心できるのが「お医者さんの優しさ」。受付の方も先生も親切とのコメントがある清水こどもクリニック。また、遅い時間まで診察に対応しているので、夜に急に熱を出したりしたときも安心な竹園ファミリークリニック。かかりつけの病院情報などは子育てファミリー向けの手書き地図で共有したい情報ですよね。

つくば子育てファミリー知っトク MAP
（茨城県つくば市）イラスト：江村康子

答え2

ママもラッキー？！　イケメン先生がいるクリニック

稲毛人お助け MAP は、子育てママやペットを飼っている方にお役立ち情報が満載。その中でもワークショップの座談会に出たのが、「あの診療所の先生イケメンじゃない？」という参加しているママさんからのパワーワード。フィールドワークで実際にお会いすることは出来ませんでしたが、クリニックのホームページをみんなで確認すると…確かにイケメンでした！遅くまでの診療時間ややさしさに加えてイケメン先生がいる！という情報も手書き地図ならではの作者独自の視点が表現されています。

稲毛人お助け MAP（千葉県千葉市）
イラスト：江村康子

答え3

子連れに嬉しいキッズスペースのある老舗の洋食レストラン

つくばにある老舗の洋食レストラン MARU は、オムツを替える台や2階にキッズスペースがあるお店。子どもって意外と早く食べ終わって手持ち無沙汰になってしまう。でもママパパはゆっくり食事を楽しみたいこともあるし、お友達と子育てトークで情報共有したい！かと言ってスマホを渡して静かにしてもらうのはちょっと違う気も…。そんなときにキッズスペースがあれば子ども同士で遊んだりすることができるし、同じお店の中で目が届くからママも安心。地元で重宝されるお店だそうです。

つくば子育てファミリー知っトク MAP
（茨城県つくば市）イラスト：江村康子

Q.14

僕らの街は歴史もないし、観光地じゃないから何もないんだと思ったら

我々の街には何もない！とワークショップをすると第一声で聞こえてきたりすることがあります。観光地じゃないから無いと。でも、おっとどっこいあるじゃないのイケてる場所が。例えば住宅街や工場の街だからこそ見える佇まいや魅力はなんでしょう。ちょっと気持ちの角度を変えて調べてみると、とっておきの自慢したくなるポイントがいっぱい。模造紙いっぱいにまちの魅力が広がります。

答え1

新鶴見小学校の工場マップ

神奈川県横浜市鶴見区は京浜工業地帯の中核をなす、我々の生活を支えるものづくりの街です。日々の生活ではあまり関わりなく通り過ぎる場所ですが、新鶴見小学校のみんなは、手書き地図を作成するにあたり丁寧に時間をかけて様々な工場を取材しました（すごい！）。そして出来上がった手書き地図はとてもカラフルで気になる工場がいっぱい書かれています。取材を通して分かるのは、作っているモノも様々という事。またそこで働く人の想いやこだわりがいっぱい見えてきました。これはとても大事な部分です。鶴見小学校のみんなは違う街から訪れた友達にこの地図片手にわが町を自慢げにお話するでしょう。我々にはそんな姿が目に浮かびます。

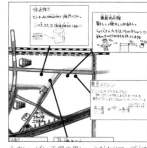

み力いっぱい工場の思い・こだわりマップ（すごいきかいへん）（神奈川県横浜市鶴見）

答え2

山形天童木工での工場見学と周辺マップ

我々手書き地図推進委員会が結成まもない頃訪れた山形県天童市。天童木工の会社の方にご招待され工場見学に向かいました。天童木工は日本で最初に成形合板技術を実用化した家具メーカー。あの有名なバタフライスツールや皆さんが旅館で一度は座ったことがあるであろう座イスなどはこうやってできるのかと感動です。そんな工場見学をした方に配っていたのがこの地図。お話を伺うと、県外から来た方におすすめを尋ねられる機会が多いので、天童木工の皆さんイチオシの場所を手書き地図にしたそうです。これを持って街を巡ると、天童市のたくさんの魅力と出会うことができます。

天童木工のある街　（山形県天童市）

答え3

ちょっと深掘りしてみたら…いろんな歴史がありました

地図の中にある佐久総合病院は、地元の人なら誰もが知っている！？お世話になっている！？「予防医学」を広めた病院。大きな病院なので、まちには医療従事者も多く住んでおり、小さな家庭の末端まで病院の考えが広まっています。地域の人にとっては当たり前のようにある病院だけれど、実は全国的にも有名なので外の人に「ああ、あの！」と言われることも多い、地域の根っこにある大きな存在なのです。

EMURA TOURS エムラ的佐久めぐり（長野県佐久市）作成：江村康子

Q.15

ほかの地域では見られない
ナゾの設備は？

圧倒的な存在感によって地元で有名ながらもあまり詳しくわからない「ナゾの」設備や建築物があります。ナゾのままでもロマンはありますが、これを機に調べるのも良いかもしれません。意外な事実にさらに興味が深まるはず！

答え1

子どもたちも大興奮！太陽追尾式のソーラーパネル

福島県南相馬市で行った手書き地図ワークショップのテーマは、再生可能エネルギー。震災後の復旧途上にあった南相馬において、未来への光を見い出していく取材活動を、野馬追いの武士のごとく「記者」となった地元の子どもたちと駆け抜けました。当時はあまり見慣れない設備だということで、夢中になって取材したのが、この追尾式ソーラーパネル。太陽を追いかけてエネルギーを生み出すこの装置に、みんな興味津々でした。

南相馬再エネマップ（福島県南相馬市）

答え2

宇宙を感じる謎の塔

千葉県稲毛市でのワークショップで発見した謎の塔。公団の団地の給水塔であろうその塔はとてもスペイシー。街のシンボルのひとつです。実は団地などの給水塔は土地土地によりユニークな形状で存在感を発揮しているようです。時代によってデザインが違うのでしょう。稲毛の場合、当時設計した方が「よーし今回はUFO感を出してテーマは未知との遭遇の街で行こう！」と言ったかどうだか、今では知る由もありません。最近は給水塔自体があまり必要とされなくなって徐々に無くなっているようです。もしあなたの街にあったなら是非カタチをしっかり書き留めておいてくださいね。

稲城人お助け MAP（千葉県千葉市）
イラスト：江村康子

答え3

愛称「うすださん」。地元民自慢の巨大アンテナ

臼田宇宙空間観測所、通称うすださんは直径 64m の巨大なパラボラアンテナ。はやぶさを見つけたことでも有名（official 髭男 dism の「パラボラ」のジャケットもうすださん）。市街から離れた山の中にあるので「ちょっと立ち寄る」場所ではないけれど、国道を運転していると山の中に見えるし、ドライブがてら行くと、とにかくでかい。とにかくでかい。何回見ても「とにかくでかい」。友達を連れて行っても「本当にでかい」と言われる。あの大きさは写真では伝わらない。実際に行ったものだけが得られる「でかさ」の実感。

EMURA TOURS エムラ的佐久めぐり（長野県佐久市）作成：江村康子

Q.16

地元の人たちに
人気のお菓子って？

包装に銘菓とプリントされたお菓子もいいけど、我が街でいつものように食べている、いつものお菓子や甘いもの。いつも食べてしまうのはやっぱり美味しいからに違いありませんよね。違う街からくるお友達にも手書き地図でその美味しさをこっそり教えてあげましょう。

答え1

まるもの今川焼きとかき氷

長野県飯田市南信濃は信州遠山郷。老若男女みんなが行き交う四つ角にあるマルモ商店の定番おやつは夏はかき氷、冬は今川焼きという鉄板メニュー。我々手書き地図推進委員会ももちろん伺った際はいただきます。なんでこんなに美味しいのかな。この街、このお店の雰囲気全部ひっくるめて味わってるからと後になって気付きます。その味の余韻の長さは街の魅力の深さ。地元の人にはもしかしたら変哲のないこの味は、この街にこそ出せる味なんだね。もっと知りたいなあ。いろいろな街のいつもの味。ぜひ書き留めてくださいね。

あんまりしらないひとがしるとたのしい！
うれしい！おいしい！マップ（長野県飯田市）

答え2

まさかの聖地巡礼！あのお菓子のルーツを発見

天童木工の方がおすすめを書いているマップで、委員会一同がビックリしたのはバナナボートというお菓子誕生の話。洋菓子店のご主人は手を怪我をした身内の方でも食べやすいよう生クリームとバナナを生地で包み作りました。それが船のような形状からバナナボートとして商品化されます。その美味しさ、食べやすさから第20回全国菓子博覧会で金賞の栄誉となりました。そこに製パン会社から商品化のオファーが。皆の知る全国区のお菓子となりました。僕らが小さい頃地元の街かどで食べていたお菓子のルーツがココにあったとは。期せず聖地巡礼となりました。あなたの街にもこんなストーリーがあるかもしれません。

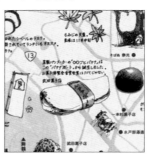

天童木工のある街（山形県天童市）

答え3

元祖グミ。おばあちゃんちの必須アイテム「みすゞ飴」

スーパーやお土産コーナーにも売っている地元で愛されるお菓子「みすゞ飴」。おばあちゃんちのテーブルの上に置かれた菓子器に必ず入っていたアイテム。オブラートで包まれたグミとゼリーの中間のような食感で、地元の果汁を使ったものも多く、お土産に買う人も。本店に行くと季節限定品もある定番だけにとどまらないところもいい。市販のグミを色々食べ比べている子供たちと、みすゞ飴に親しんでいるおじいちゃんおばあちゃんが、共通の話題でみすゞ飴について話すのも面白いと感じる、地元の愛されおやつです。

超個人的上田案内（長野県上田市）
作成：タナカチカコ

Q.17

愛され過ぎて
なくなると困る食べ物ってある？

手書き地図ワークショップを続けてきた中で印象深かったのが、地元で愛されている食べ物の話題です。町中華のメニューだったり、和菓子屋のまんじゅうだったり、学校給食ってのもあったかな。中でも、つくば市の小学生男子が言っていた「おしっこが黄色くなるラーメン」は秀逸でしたね。どれだけ味が濃いんだろう？　まさかビタミンが豊富とか？　もうこのひと言だけで想像が膨らみます。ポイントは、ラーメン屋の名前がなかったこと。でも、それでいいんです。ここで欲しいのは、メニューの思い出やお店での出来事なのですから。

答え1

馬のクソまんじゅう

山形の遊佐町でのワークショップでは、少し昔の昭和30年代を振り返って当時年の暮れに開催された「歳の市」の様子を地元の年配の方が手書き地図で再現しました。当時の活気のある様子が書かれていますが、そこで圧倒的な存在感のあるお菓子が馬のクソまんじゅうです。物を運搬する上でまだまだ大事なパートナーとして馬は欠かせない存在だったのでしょう。その馬達だってご飯も食べれば、出るものもあるわけでして、街のあちこちに落とし物があったようです。今ではギョッとしてしまうでしょうが、当時は当たり前の光景だったのでしょうね。そんな日常だからこそのお饅頭ネーミング。饅頭はもちろん作りたてだからホカホカです。

十日町通り思い出マップ　昭和30年代を
再現歳の市編（山形県遊佐市）

答え2

ミル金発祥のお店！？

お祭りの屋台などで売られているザクザクした氷にレモンやイチゴシロップを掛けたかき氷と、お店で食べるフワフワの氷にフルーツソースがたっぷりと掛かったかき氷、どっち派ですか？　さて、そんなかき氷には、金時にミルクをたっぷりかけた「ミル金」ことミルク金時があります。このミル金発祥のお店が岡山県岡山市にあるカニドンさんです。決してカニの丼定食が食べられる飲食店ではありません、念のため。執筆にあたりホームページでカニドンさんをネットで検索してみると、一度は閉店したものの2018年に復活しているとのことでした。90年以上続く老舗の味が今でも続いているそうです。嬉しい！

岡山休日リラックスプラン MAP
（岡山県岡山市）イラスト：森邦生

答え3

地元の愛されグルメ、ゴムのように固い「ゴムそば」

ゴムそばって、いくらなんでも言い過ぎ…と思ったけれど、実は地元の人から親しみを込めてそう呼ばれている「焼きそば」のことでした。「これぞ三島のB級グルメの横綱」の呼び声が高かったものの、惜しいことに今はもうありません。ところが、昔ながらの素朴で独特な歯ごたえを懐かしむ人が本当に多く、なんとこの名物を復活させようという動きが起こったんだとか。どんだけー！
そしてなんと、今では本当に「ゴム焼きそば」として復活したとのこと。まさしく「愛され過ぎてなくなると困る食べ物」ですね！

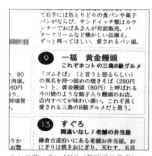

ミシマ買い食い MAP（静岡県三島市）

Q.18

よその人は違いに驚く！？
特定の人や地域の意外な食文化

所かわれば品変わる。海外に行くと食文化に驚くことも多いです
が、日本の中でも地域によって多様な食文化を感じることがあり
ます。海の近くや山の近く。寒い地方や暑い地方。かつて城下町
であったり、海外との玄関口であったり、豊かな農作物が獲れる
地方であったり。地域に即したユニークな食材や保存方法、調理
の工夫に様々な暮らしが見えてきます。

答え1

豊かな山の恵みをいただきます

長野県遠山郷の方に話を伺うと、肉といえば山の肉ということで、子供のころからシカやイノシシのお肉に親しみがあり、牛のお肉は馴染みが薄かったとのこと。山深い地域ならではのお話です。そんな遠山郷のお肉を提供してくれるお肉屋さんといえばスズキやさんです。遠山ジンギスという商品名で独自のタレにつけてある各種山の肉を加工、販売しています。これがどれも美味しい。我々もワークショップ等で伺うと必ず買って帰りました。食べると他とは味わいの違うお肉に、まさに山の恵みをいただいていることを感じます。

じっくりゆったりのんびり歩け歩け左岸
MAP （長野県飯田市南信濃遠山郷）

答え2

宇和島念願の銘菓誕生ストーリー

昭和32年、作家獅子文六の小説「大番」が映画化される折、作者が戦後2年間過ごした宇和島を舞台にロケが行われたようです。その際に、宇和島にはまだ代表する銘菓がないとのことで、この銘菓「大番」が誕生しました。発売当初は14軒の店で製造されたようですよ。今でも宇和島を代表する銘菓となっています。私も頂きましたが、和と洋の合体。ほのかな柚子の香りがする餡を柔らかいカステラ生地で挟んでいます。表面にほんの少しカリッとした歯ごたえのある「そぼろ」がアクセントとなっています。素朴で優しい美味しさです。

エモエモマップレトロな街
（愛媛県宇和島市）

答え3

がんづきは青春の味、街の味

仙台市連坊でのワークショップでは、地元の人が真っ先に挙げるのが大黒屋のがんづきです。黒糖の優しい味の蒸したケーキは優しい甘さで素朴な味。周辺の高校生のおやつとなっています。また学校の行事の中でも先生が大量に買い求め皆で食べることもあるまさに青春の味。地元で挙げる結婚式でがんづきを組み合わせたウェディングケーキが作られたという逸話もあるほど地元に密着した心の味となっています。

一校生　生態MAP （宮城県仙台市連坊）

Q.19

いつかはチャレンジ！？
びっくりグルメ

挑戦、それはいつも儚い。とはよくいったもんです。あなたが住む街にも腹ペコ学生や同僚から聞きつけてやってきた大食い自慢のお兄さんやお姉さん。はたまた、どこから聞きつけたのか、よその街から挑戦に来るフードファイターが駆けつけるようなびっくりする量や味の飲食店があるかもしれません。百聞は一見にしかず。手書き地図を作るためにはいつか挑戦したい所です。

答え1

インパクト大のいわな天丼は天に上る丼。だから天丼なのだ！

立科にあるお蕎麦屋さん　歩歩歩さんのいわな天丼は、いわなや野菜の天ぷらの具材が丼のご飯の上にいつものように静かに横に配置されることはなく、なんとファイヤーピットの薪のようにグルリと縦に立て掛けられています。天に伸びるいわなや野菜に、これはまさに天へ登る丼！これこそ天丼、天晴れと言わざるを得ません。お蕎麦のセットミニ天丼ですら上方向という、各メニューかなり上昇志向が強いので、食べた皆は大満足、意識高い系になるとの噂です。

welcome 水がはぐくむ町立科
（長野県立科町）

答え2

日本昔話を思い出す！？　衝撃の山盛りごはん「とんかつ麻釉」

神奈川県伊勢原駅前の商店街にある「とんかつ麻釉」は、ライス大盛りが衝撃レベルの3.5合！日本昔話世代の人にはきっと刺さるであろう、大山もびっくりの富士山クラスの山盛りビジュアル。あ、山盛りってこういうことだよね…と、それと知らずに注文した人はもはや笑うしかありません。たぶん一般のお店でいうところの"大盛り"の3杯分くらいはあるのではないでしょうか。とはいえ、肝心のトンカツがめちゃめちゃ美味しいから、ペース配分をうまくすればあるいは…。

伊勢原マチナカ MAP（神奈川県伊勢原市）

答え3

鼻緒はきゅうり。インパクトがとにかく凄い草履サイズのコロッケ

事前情報なしに頼んで驚きと共に運ばれてきた「ぞうりコロッケ」。多分本物と同じくらいのサイズで、とにかくビジュアルのインパクトがすごい。鼻緒型にきゅうりと和からしが添えてあり、見た目もぞうり。うっかり全員分頼むとテーブル一杯になるので注意が必要！世の中にデカ盛りは数あれど、まさかコロッケがここまで大きいなんて思わないじゃない。びっくりしたよ本当に。
自信がある人は是非両足（2つ）頼んでチャレンジしてほしい。

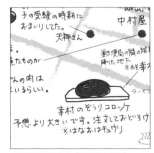

超個人的上田案内（長野県上田市）
作成：タナカチカコ

Q.20

ここだけはなくなってほしくない
自慢の場所は？

歴史的に貴重な史跡や、地域のシンボル的ななにか。ずっと愛されてきた地元の定食屋さんとか、レトロすぎて再現不可能な純喫茶などなど。公共的なものだけではなく、個人的に守りたいものも、きっとみなさんの胸のうちにあるんだと思います。手書き地図ワークショップの座談会でも、閉店のウワサとか、もうなくなってしまったお店を惜しむ声、かつての習慣やイベントなどを懐かしむ声をたくさん聞きます。すべてに共通するのは、外の人より地元の人に愛されていることと、毎年恒例のことなど、まさか「なくなるとは思っていないコトモノ」でしょう。しっかり手書き地図に、その思いを書き残しておきたいですね。

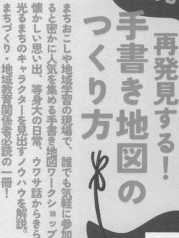

答え1

自慢の街は画になる街

立科の茂田井ワークショップでは、事前のディスカッションとフィールドワークから戻り、いざ模造紙に向かうと、まずは取材した神社仏閣や、歴史を感じる建物や史跡、地元のいつもピカピカ最新共同トイレなどが書き込まれました。それ以外に、それぞれ気づいていてもいつもはあまり口に出さないことを書きはじめます。近所のゴルフ場のエントランスの桜並木が綺麗なこと。ここの丘から見る山々の眺めがとても綺麗なこと。夏の蛍の見れるポイントはここ。ディスカッションで皆がそうそう！となる話です。このチームは相談してタイトルを画になる街と付けました。地元のかけがえのない美しさを再認識した瞬間です。

画になる町茂田井（長野県立科町）

答え2

憧れだけど泊まる勇気がない宿の代表格、宿坊

日帰りできる神奈川県伊勢原市の大山ですが、あえて山に泊まってみると新しい発見があるかもしれません。たとえば「宿坊」は、大山に登拝する人や山腹の神社仏閣にお詣りする人をもてなしてくれる、古き良き伝統の宿。大山には 34 の宿坊があるそうですが、名物の豆腐料理が楽しめるなど、宿それぞれに魅力があります。

おおやまふもと MAP（神奈川県伊勢原市）

コラム

「お正月の三が日は何を食べますか？」

もしかしたらお雑煮派の方が多いのではないでしょうか？私（赤津研究員）の地元である茨城県の一部地域では、三が日の朝食に「ショービキもち」を食べる風習がありました。ショービキとは塩鮭のことで、塩引き鮭が茨城特有の訛をもって「ショービキ」になったんだと思います（本当のところは知りませんが）。塩鮭の塩味がお餅の甘さと相まって何個でもお餅を食べられる最強の組み合わせです。小さい頃から「正月の朝食＝ショービキもち」だと思い込んでいたので、大人になってから他所ではお雑煮を食べるということを初めて知りました。お雑煮と比べるとあまりにもマニアックなこのショービキもちは、ちょっと人には言えない恥ずかしさもありました。でも手書き地図の活動を始めてから、こんな地元ならではのユニークな食べ物や行事こそが他人には語ることができない唯一無二のことであり、自信をもって自慢できることなんだと再認識した気がします。美味しいから食べてみて！

Q.21
知らないと「モグリ！」と言われる、あのお店のあの食べ物

ただ有名なお店、美味しい食べ物ということなら、きっとみなさんの地域にもいくつかあることでしょう。そこからもう一歩踏み込んで、ここでは「(そのお店を選ぶとは、この町のことを) よくわかってますね！」と地元目線で褒めちゃうようなお店のこと。あるいは「観光客はみんなあっちのお店に並ぶのに、こっちのお店に来るあなたは通ですね」みたいな褒め方をしちゃうとか。これ一見するとマウントを取っているように思われますが、観光ではなく地域の日常のことに興味をもってくれる旅人に対するリスペクトの気持ちが込められています。知らないと「モグリ」でも、知っていると「仲間」なわけです！

答え1

とうふ屋さんがつくる最強の買い食いアイテム「おからドーナツ」

ときがわ町の有名店「とうふ工房わたなべ」は、観光で訪れる人も、暮らしの延長でやってくる地元の人も、みんなリスペクトしている名店。土地の恵みたる大豆で手作りされている豆腐の味に、ファンは数知れず。本当に美味しいんだよなあ。で、通は豆腐だけじゃなく「おからドーナツ」も買うわけです。ときがわ食品具マップの作者・川崎さんいわく「地元のおとなが買い食いするドーナツ」でもあるそう。これ知らなかったらモグリですよ！

ときがわ食品具 MAP25-6（埼玉県ときがわ町）作成：川崎敏雄

答え2

1つの大技で勝負できるのは名店の証

静岡県沼津市のソウルフードは数あれど、中央亭の餃子抜きでは語れないのです。ワークショップ前後でお邪魔する際は必ず伺いますが、大手町から引っ越して現在は添地町に移転し、新規オープンしています。焼いて茹でる独特な調理法が気になる大ぶりな餃子は、6・8・10個の中から体調に合わせチョイス。あとはライス。以上！というきっちり餃子で勝負しているお店です。営業を知らせるオリジナルキャラクターが書かれた旗は、新店でもきっちりアピールしてお客様をお迎えしています。

沼津クラシック　正統派ひみつのデート指南（静岡県沼津市）

答え3

「むしり」といえば誰もが知る柔らか美味しい若鶏の丸焼き

この地域で「むしり」といえば誰もが知る若鶏の丸焼きのこと。柔らかくて美味しいのはもちろんだけれど、みんな自慢げに「むしりは食べたかい？」という、美味しさ自慢の地域料理。クリスマスの時は、スーパーのチキンにもケンタッキーにも負けず劣らずめちゃくちゃ売れるらしい「むしり」。実は2軒隣あったお店でしか作っていない。一店は醤油味、一店は塩味なのだそう。持ち帰りもできるので、頼んでおくと新聞紙に包んで渡してくれる。焼き上がりまで1時間以上かかるから予約必須の名物だ。

ウスダエキチカ MAP（長野県佐久市）作成：江村康子

Q.22

移住してきた人が必ず驚く
まちの風習や習慣ってある？

観光ではなく、住んでみて初めてわかることは多いかと思います。それはシーズンを通じて生活することで、風習や習慣、季節を実感できるからです。住んでるからこそわかることを書いてみましょう。ちなみに、私は茅ヶ崎にずっと住んでいるのですが、新しく引っ越して来られた方が驚くこととしては、意外に冬が寒くちょっと物悲しいということ。湘南と言うことで明るく暖かくいつもアロハシャツと思う人も多いですが、冬はそこそこ寒いです。海が近いので風が吹きます。でも冬の茅ヶ崎もいいもんですよ（となぜか地元の宣伝）。

答え1

領土を争う真剣勝負「峠の国盗り綱引き合戦」

静岡と長野の間でくすぶる領土拡大の睨み合いは、なんと現代においても続いていました。静岡側の遠州軍と長野側の信州軍が兵越峠で激突する「峠の国盗り綱引き合戦」は、県境をかけて行われる真剣勝負です。なにせ国境がかかってますからね。勝者は領土を広げることができるわけですよ。行政の方なども陣羽織に身をまとって観戦するそうですから、これは一大イベントです。あ、でも安心してください。だからといって行政上の県境が変わるわけではございません。もちろん、年貢（税金）が増えたり減ったりするわけでもありません。そういう企画を、異なる地域の人が真剣に楽しんでいるという好例なのです。

三遠南信ってナニ？
（長野県飯田市遠山郷）

答え2

推しの果樹園が稲城にはある！？

東京都稲城市は、ほどよく都会と田舎が入り混じっているそうで、稲城周辺は梨やぶどうなどの果樹園がたくさんあります。稲城という梨の品種もあるくらい盛んな果樹園のため直売所も豊富。そんな稲城に住む人（手書き地図のワークショップでは稲城人と呼んでいた）には、お気に入りの My 果樹園があって毎年季節になるとお気に入りの果樹園から果物を買うのが稲城人あるあるだそうです。もはや果樹園のファンクラブに近いのかも知れません。

ここちよい街稲城マップ（東京都稲城市）
イラスト：江村康子

答え3

飲んだ後に何で〆るか問題

いやー今日も呑んじゃったなーと言いつつ、日本全国ののんべえルーティーンとしてはきっちり〆ないと明日が来ません。地域ののんべえ文化によりけりですが、現在の多数派保守本流がラーメンだとすると、極北にあるのは沖縄のステーキでしょうか（南方なのに）。愛媛県宇和島でのワークショップでは、十万石というお店のうどんが、地元のお酒を愛する皆さんより「がいにウマいもの」としてレコメンドされていますよ。「がい」とは「とても」「非常に」というお国言葉ですね。これは気になるし、なんだか一番身体に良さそうなので、今後〆はうどん勢が台頭するかもしれませんね。

地元の人もよく行く　がいにウマいもの
MAP（愛媛県宇和島市）

Q.23

公園でどんな遊びが流行ってる？

小学校などで手書き地図の授業をする際によくこの質問をします。オンラインでゲームばかりしているのかと思いきや、放課後の学校や近所の公園で鬼ごっこやかくれんぼ、ボール遊びなどをしているそうです。今も昔も友だちとリアルで遊ぶのは最高に楽しい遊びなんですね。みなさんは近所の公園でどんな遊びをしていましたか？

答え1

好きだからこそ想像力で乗り越えられる

神奈川県鎌倉市にある西鎌倉小学校のみんなが書いてくれた手書き地図のタイトルが「どこで何をすればサッカーが上手くなるかマップ」ということで、複数の公園の特徴を踏まえた上で、その公園での、特徴ある練習方法を編み出し書いています。サッカーが大好きだからこそその幾つもの公園の利用アイデアに、我々委員会の面々は一様に驚きのけぞったのでした。この場所でどうするかではなくて、このために公園をどう使うかという発想の転換とアイデアの勝利。また幼稚園の子がいることに対する注意なども書いていて、公園では色々な人が遊んでいることを尊重していることにもとても感心したのでした。勉強になったなあ。

どこで何をすればサッカーがうまくなるか（神奈川県鎌倉市）作成：鎌倉市西鎌倉小学校 3 年

答え2

それぞれの公園でおすすめの遊び方は違う

学校の周りにたくさんある公園をそれぞれおすすめの遊び方を含めて紹介した例です。プールで遊べる公園、ボール遊びができる公園、ターザンみたいな遊具がある公園、遊具はないけど広いから鬼ごっこに最適な公園など遊び方視点で公園を紹介してくれています。僕たち大人にとっては公園と一括りにして見てしまいがちですが、子ども達にとってはそれぞれの異なる遊び場として認識されているようです。勉強になるな〜！

楽しい遊び場マップ（東京都大田区）
作成：大田区立松仙小学校 3 年

コラム

「手書き地図で物語が歩き出す瞬間」

小学校の授業の 1 つに「総合的な学習の時間」という単元があります。「自らが課題を見つけその解決策を考える」というようなテーマの授業であると私は解釈していて、授業では、事実よりも自分が感じた物語が大事だよという話をしているのですが、とある小学校 3 年生の地図に、セブンイレブンと書かれた場所に吹き出しで「冷凍チャーハンが美味しい」と書かれていた地図がありました。小学校 3 年生、セブンイレブン、冷凍チャーハン、この 3 つの断片的なワードですが、この手書き地図を見たとき、私は物語を勝手に構築してしまいました。学校から帰ってきたけど夕飯まで待てなくて、セブンイレブンで買っておいた冷凍チャーハンを食べたのかな？週末の昼ごはんは親御さんも簡単に済ませたいなと思って冷凍チャーハンを親子で食べたのかな？などなど。読み手が自然に物語を発生させ、色々と膨らませることができるのが手書き地図の魅力であると改めて気づいた出来事でした。

Q.24

学校で聞いた
まちのウワサ話ってある？

この質問も小学校などの手書き地図の授業では定番の質問です。ある場所で手を繋ぐとカップルになれる、あのお店のご主人は若い頃オリンピックに出たことがあるらしい、写真を撮ると何故か白くぼけてしまうお墓があるらしい、先生は知らないけどあの子は有名なゲーム系ユーチューバーらしいなど。面白いまちのウワサから怖～いまちのウワサ話まで、みなさんも1つくらいウワサ話を知っていたりしませんか？

答え1

いつ渡ればいいの……タイミングが難しい交差点

弘前大学の近くにある交差点は、どうやら「難しい」というウワサが。何が難しいかと言うと、変則的な五差路のようになっているため信号の変わるタイミングを覚えるのがまず難しい。特に新入生は、信号が変わるタイミングが一般的な交差点とは異なるため、総じて戸惑うことになるのだとか。これ、弘前大学あるあるでもあり、弘前市民あるあるでもある（ややこしい）。弘前大学で実施した夏の集中講義では、この問題に直面した経験のある先輩たちから未来の新入生に向けた「あぶねはんできいつけろMAP」が作られました。学内の注意情報や可視化されていないウワサを地図にするのって、とてもいいと思います！

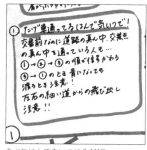

あぶねはんできいつけろMAP
（青森県弘前市 弘前大学）

答え2

お化けがでる有名なトンネル

神奈川県横浜市にある東市ヶ尾小学校の手書き地図にはお化けが出ると言われている有名なトンネルがあります。授業でこの話が出た時には、全員が知ってる！知ってる！と教室中が大興奮。その流れで「誰かお化け見たことある人いる？」と聞くと、全員静かにそれぞれの顔を見合わせるように…。静寂が流れ、「誰も見たことないじゃん！」とツッコミが入ると全員大爆笑となりました。トイレやトンネルって小学生にとってはお化けあるあるの場所ですよね。

横浜市立東市ヶ尾小学校 知ってほしい
市ヶ尾の魅力（神奈川県横浜市）

答え3

40cmの巨大バッタや巨大トカゲに追われる！？

巨大な生き物がいるらしい、という類のウワサは、どの小学校にもあるあるですね。小田原市で行ったワークショップで飛び出したのは、サイクリングコースには巨大なバッタやトカゲがいるというウワサ。子どもたちが自転車で走っていると飛び跳ねてくるとか、トカゲを踏みそうになるとか、あれはトカゲじゃなくてイグアナだったんじゃないかとか、とにかくさまざまな憶測と想像が座談会を盛り上げてくれました。こういう話、キライじゃないのよー。

まちあるきマップづくり1DAYワーク
ショップより（神奈川県小田原市）

Q.25

お家にお客さんが来たら、どんなおやつでおもてなしする？

地元のスーパーでいつも自分が食べている買い求めやすいスナックをお茶菓子にするのも良いけども、尋ねてきたお客さまに少し特別な気持ちでもてなす場合のお茶請けはなんだろう。これこそ名刺がわりの地元のお菓子となるはずです。我が街には何があるだろう？

答え1

昭和レトロな洋菓子はふんわりほろり。やさしくてほどける味

青森県八戸市にある街の洋菓子屋さん村福本店はレトロな雰囲気で、和菓子や洋菓子、生菓子も焼き菓子もある、どれも美味しい街のスイーツ文化のホームラン王。アップルパイも地元ではご家庭で人気の品ですが、お客様に出すお茶請けとしては、ひとつひとつ包装された焼き菓子がいい塩梅ですよね。「たんぽぽ」はかわいいレトロな包装に包まれた、バターたっぷりのやさしい焼き菓子です。客人が寒い中、もしくは遠くからいらしたらさぞこの優しい甘さとバターの香りで疲れや緊張が解けるでしょう。お薦めです。これ以外にもまだまだご紹介したいお菓子はありますが、あと一つ挙げるなら「ミルフィーユ」、これもいい。八戸にお越しの際は要チェック！

まちなか手書きマップ　（青森県八戸市）

答え2

開店と同時に売り切れている可能性大「モーニングまんじゅう」

長野県飯田市の遠山郷には、変わった「モーニング」があります。喫茶店のアレではありません。なんと、まんじゅうです。その名もモーニングまんじゅう。そのままですね。和田城の近くにある「殿町の茶屋」の饅頭は本当に地元で大人気。添加物なしだから、買った日のうちに食べなければならないのも人気の秘密。開店と同時に行かないと売り切れている可能性が高く、その日に来客がある地元のみなさんで朝から大賑わいです。お味は"そば"と"よもぎ"なり。訪問先でこのまんじゅうとお茶が出てきたら、たしかに嬉しいですね！

信州遠山郷ウワサ MAP 左岸編（長野県飯田市遠山郷）イラスト：江村康子

答え3

外はカリッ、中はしっとり「かりんとうまんじゅう」

神奈川県川崎市のお土産のど定番といえば、老舗和菓子店「菓子匠末広庵」の「惣之助の詩」。この有名なお菓子と肩を並べるくらいの美味しさと人気を誇るのが「かりんとうまんじゅう」。外が超カリカリ、中はあんこがしっとりしている手作り感が漂うおまんじゅうです。お店の前に食べることができるスペースもありますし、店内には和菓子の木型が飾ってあり、お店の長い歴史を感じることができます。

平和通商店街行きつけ MAP
（神奈川県川崎市）イラスト：江村康子

Q.26

地元にある地酒（地ビール）って
どんなのがある？

お酒が苦手な方も、未成年で飲めない方もいるとは思いますが、造り酒屋は地域にとても密着した存在です。理由の一つに、酒を作り出すために必要な酵母はその地域それぞれ、また酒蔵によっても働きに違いがあることが挙げられます。まさにオンリーワン。地元で育まれた酵母の力で醸すお酒は、正に他にないその地域ならではの宝物です。

BEER & SAKE

うちのが
イチバン
うまい

答え1

造り酒屋のある町

その昔は村があれば、そこには造り酒屋がある程度点在していたようです。人々が行き交う古い街道筋ならなおのこと。その中でも特に、材料の米と水に恵まれた場所で造られた酒ならば、皆の知る銘酒として名を馳せます。中山道の長野県・茂田井エリアにも名高い清酒、明鏡止水（めいきょうしすい）で有名な大澤造造、清酒牧水、御園竹（みそのたけ）の武重本家酒造があります。これら歴史ある木造の建物とその軒先にはシンボルの杉玉が見えます。時代劇にもロケで利用される程、この町全体のしっとりした景色に一役買っています。

画になる町 茂田井 MAP（長野県立科町）

答え2

今のところ、日本一好きなビールが「ベアードビール」です

個人的な思いを語ると、沼津のベアードビールが大好きでして。今や数あるクラフトビールですが、僕の中ではずっとこれが優勝し続けています。沼津はお酒にまつわるエピソードやウワサが多く、特にベアードビールは「愛されているなあ」という印象。沼津港でスタートしたタップルームを皮切りに、今では修善寺に工場とキャンプ場まであります。沼津港のそばにあるタップルームは、地元の人も足を運ぶとか。

& WALK.（静岡県沼津市）

答え3

いにしえの「ゆるキャラ」？地域を代表する酒の銘柄

安政5年からある、長野県佐久穂町を代表する黒澤酒造。酒蔵や工場、文化施設や喫茶店など関連施設を近くに沢山持ち、経済的にも文化的にも地域と密接な関係にある蔵元。代表銘柄の「井筒長」のラベルに描かれているのは、酒好きで酒樽を飲み干すと言われている妖怪「猩々（しょうじょう）」。この猩々は、酒蔵やギャラリーなど、町の至る所に出没しています。
もしかして猩々は今でいうゆるキャラ！？　いや、見た目は全然ゆるくないけれど…。

天神町の大学生的歩き方
（長野県佐久穂町）

Q.27

まちの人たちが
ハブ的に足を運ぶお店は？

地元同士のつながりと、外からやってくる人との出会い。時には外からやってくる人同士が盛り上がっちゃう。そんな風に、人と人とのご縁をつなげてくれる飲食店って、地元の人からするととてもありがたい存在だと思います。で、そういうお店のマスターは大体おしゃべりなんですよねー。自分のお店で繰り広げられる人間模様を観察して、こことここがつながったら面白そうと企んだり、逆にほどよく放置してくれたり。そういう人がやっているお店には、人が自然と集まってくるんですねえ。

答え1

ときがわ食品具 MAP を作った張本人が営むときがわの小物屋さん

前著『手書き地図のつくり方』で大きく取り上げた、ときがわ町の手書き地図。作者が地域の隅々まで足を運び、そこで見聞きしたことを A3 用紙にびっしりと可視化した手書き地図です。もう最高すぎて、今でも見返していますよ。そんな地図を作った人が営むお店ですから、地元の方がまちづくりの相談に来ていたり、遠方のファンが遊びに来たり。名物は、水だしのアイスコーヒー。美味しいんだなあ、あれがまた。さまざまな出会いがあるから、変わり映えのない（と感じる）日常の暮らしに、張り合いが出るんですよね！

ときがわ食品具 MAP25-6
（埼玉県ときがわ町）作成：川崎敏雄

答え2

知る人ぞ知る八戸の夜の社交場　洋酒喫茶プリンス

青森県八戸市は、縁があって何度も伺う機会がありました。お酒が好きな人には堪らない。いや、もっと言うとお酒を介して色々な人と話したい人には堪らない街です。小さな屋台の連なる、みろく横丁では女将さん、大将とお話することができるでしょう。自然と肩を寄せ合う隣のご常連さんとふと気づいたら、お友達になっています。そんな街です。その中でも「洋酒喫茶プリンス」はマスターのお人柄も相まって、地元のご常連とその客人がたくさん集まります。我々もお連れいただき楽しませていただきました。色々な船が入っては出ていく。港町ならではの光景なのかもしれません。

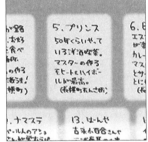

まちなか手書きマップ　（青森県八戸市）

答え3

売るのは野菜だけじゃない！？野菜と人と地域をつなぐ八百屋

リアル・フード・ストーリー。その頭文字をとって名付けられたのが、沼津の上土商店街にある「REFS」です。オーナーの小松さんは海外留学を経て日本の自然資源の素晴らしさに気が付き、自然と大地の恵みから生まれる野菜のリアルストーリーを通して、生産者と消費者をつなぐ八百屋を営んでいます。とはいえ、単なる八百屋ではありません。野菜を接点にする試みは店頭に限らず、メディアやイベントなどを仕掛けるまでに。そんな場所だから、沼津の未来を考える人たちが集まっては、さまざまな取り組みが生まれてるわけですね。

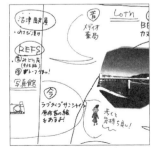

時をかける沼津（静岡県沼津市）

Q.28

まちに面白い研究を
している人はいる?

学校や研究所などで研究している人とは別に、在野で人知れず独
自に研究を続けている人は実は多いのです。好きこそ物の上手な
れ。その探究心と成果はゆっくり確実に積み上がっているのでし
ょう。そんな街の博士さんの存在と研究を知ることで、街の文化
的な広がりも見えてきます。

答え1

自分の足を知ることは自分の健康の道につながる

神奈川県横浜市の弘明寺商店街にあるとんぼ靴店の魚住さん。なんと足の研究所もされているそうです。靴を販売するだけでなく、お客さんの足の健康も守りたいという思いからお客さんの足を分析し、その人にあった靴を選んでくれるサービスも行っているとのこと。ちなみに、手書き地図のフィールドワークの時は、ソール厚めのスニーカーを履くことで足が疲れないようにフォローしています！

横浜市立大岡小学校 弘明寺笑店街 MAP
（神奈川県横浜市）

答え2

地元をテーマに研究し続けた立科の元教育長のライフワーク

我々がワークショップ開催にあたり、とてもお世話になった立科町の元教育長には、事前の取材に我々と同行していただきました。その間にも教育長は、ふとした瞬間にサッとコンパクトカメラを取り出して昆虫を撮り続けていました。実はプライベートでも研究をしておられるとのことで、僕らには同じに見えた小さな昆虫についても、これは地元固有の昆虫なんだよと説明いただきました。同様にまだ謎が多い「古東山道」についても、一例として立科の雨境峠周辺に5、6世紀ごろの古代祭祀遺跡群があることを引き合いにお話しいただき、古代大和時代の東西を繋ぐ古道に想いを馳せることができました。

路の國たてしな　古と今が行き交う町
MAP　（長野県立科町）

コラム

「手書き地図アワードのこぼれ話。」

手書き地図推進委員会は、学校の授業（総合的な学習の時間）にゲストティーチャーとして授業に呼んでいただく機会が多く、さまざまな地域の学校にお邪魔しています。普段はあまり接することが少ない小学生と話をしていると、かれらの自由な発想や面白い着眼点を知ることができ、逆にこちらがハッとさせられいつも勉強になっています。例えば、近所の公園でこんな生き物が生息しているよ！という地図で、カナヘビやトンボ、カブトムシなどのリアルな生き物に加えてゲームのキャラクター（ピ〇ミンやポ〇モン）が生息しているかも。なんてコメントが書いてあります。さすが小学生。発想が自由で面白いなぁなんて思っていましたが、今や現実の世界を歩きながらキャラクターを捕獲するゲームもありますね。質量のある世界も質量のない世界も分別せず、ごちゃ混ぜにして考えられる子供たちの柔軟性って本当に素晴らしい。柔軟性を欠いてきた自分のアタマにもこんな柔軟性が欲しいなぁ。

Q.29

まちの人なら皆知っている
有名人はいる？

有名人と聞くと、プロスポーツ選手、アーティスト、俳優さんなどを考えてしまうかも知れません。でもみんなが知っている有名人でなくても OK です。古くからのまちの歴史を知っている人、地元のお祭りを一生懸命運営してくれている人、毎朝通学路に立っておはようと挨拶運動をしているお寺の住職さん。そんな地元の有名人を探してみましょう。意外と近くにいるかもしれませんよ！

答え1

八戸に残るトキワ荘スピリッツ

南部郷土料理屋「ばんや」は八戸で人気の居酒屋です。人気の理由の一つとして、以前大正時代の古い料亭であった木造の建物の佇まいも一役買っています。縄のれんをくぐれば店内の雰囲気もどっしりとした風情があり、さあ、じっくり今日は飲むかと思わせます。もちろん酒も郷土料理の肴もとても美味しい。そんな正統派居酒屋ですが、マップ作成当時にお話を伺ったところ、なんとご主人は若かりしころトキワ荘で漫画家を目指していた時期があったとのこと。そんなご主人の店で杯を傾けながらゆっくり青春時代を振り返るにはいい場所かもしれません。

私がスキなマチナカの場所、お店、人（青森県八戸市）作成：今川和佳子

答え2

岡山の3つの商店街の「顔」にあらためてインタビュー！

地元ではよく知られた商店街の有名人に、手書き地図を書くという目的であらためて話を聞いてみると、知らなかったことや、手書き地図に残しておきたいことが出てきます。そんなコンセプトで作ったのが、2014 年に作成した「昔の岡山、これからの岡山 MAP」。1章でも紹介した岡山奉還町商店街の「イシイハット」の店主は接客自体が思い出に残る達人。「お客さん、帽子が人をつくるんですよね」という蘊蓄（うんちく）のある一言は忘れられません。表町商店街の「靴のタツオカ」の名物親子である立岡さんの「商店は舞台と同じ。店を開けるということは幕を上げるということ」も商売人の気概を感じられる一言です。あなたの街の顔を、ぜひ教えてください！

昔の岡山、これからの岡山 MAP（岡山県岡山市）イラスト：あんどういっせい（一生堂）

答え3

プロのガット職人がいるテニスショップ

ガットとは、テニスラケットの線のこと（ストリングともいう）。東京都稲城市のテニスショップウェイにはメーカー公認のガット張り職人、通称張人がいらっしゃるそうです。稲城市は若葉台公園や城山公園など運動公園が多く、野球場やテニスコートなどのスポーツ施設も充実しています。ゆえに住んでいる人たちの中には、学校の部活だけでなく大人にもテニスを愛する人が多くいらっしゃいます。このショップの職人さんは隠れた有名人で、地元のテニス愛好家で知らない人はいないというほどです。稲城市のようなスポーツ施設が充実している地域ならではの有名人ですよね。あなたの趣味ごとで身近なところにも隠れた有名人がいるかも知れませんよ！

ここちよい街稲城マップ（東京都稲城市）イラスト：江村康子

Q.30

なんだこれ！？
わたしのまちの珍百景

そのまちに長く住んでいると当たり前過ぎて何が「珍」かが分からずスルーし、日常生活に溶け込んでしまっている風景。いったん冷静になってみると確かに変だよな！？と思ったことはありませんか？　それがまちの珍百景です。手書き地図にそういった場所や情報を入れてみてください。同じまちに住む人が見ると思わず「そう！そう！」と共感しちゃいますよ。

答え1

ガードレールを食べている木？宇宙を感じる謎の塔？

ガードレールを飲み込んでいる、金網フェンスと一体化している樹木ってたまに見かけませんか？　千葉県千葉市の稲毛区ではガードレールを飲み込む樹木を発見し、手書き地図に掲載しました。また、団地の給水塔でしょうか？　UFO的なそのデザインは宇宙を感じざるを得ません。給水塔を遠くから見るとその唐突感が満載で、まさに未知との遭遇を体験することができます。そのまちに長く住んでいると当たり前の風景なので、それが珍百景だと気が付かないことも多いかも知れませんね。よく観察すると自分の街にもありそうです。

稲毛人お助け MAP（千葉県千葉市）
イラスト：江村康子

答え2

軒先でメダカが売られているものの、値札なし……ナゾすぎる！

神奈川県伊勢原市をフィールドワークしていたときのこと。参加者のひとりが「そういえば、変わったところがある」と言うので、足を運んでみることに。地図をつくる前の、貴重な取材時間ですからね。そうしてやってきた「変わったところ」は、一見普通の民家。道路沿いに植木や水の入ったコップが並べられていました。するとそこには、メダカ売ってますという文字が。コップの水の中にメダカがいるの？見えないよ？というかいくら？値札ないよ…。というわけで、これは手書き地図的には面白い、地元の謎エピソードとして取り上げることにしましたよ。

大山ふもと MAP（神奈川県伊勢原市）

答え3

奈良時代の大規模な土砂崩れで埋まった木

奈良時代といえば、およそ1300年も昔のことです。その時代に起こった大規模な斜面崩壊で埋没してしまったたくさんの樹木が地表に現れた状態で、遠山谷で見ることができます。これ、単純にすごいことだと思います。なんだかワクワクしますね。タイムスリップできるなら、もともとの美しい山の姿を見てみたいし、それが大規模崩落する瞬間も見てみたい。川の流れ方も、地形も、今とはまったく違うんだろうなあ。大地のロマンだなあ。

よってけよってけ MAP（長野県飯田市遠山郷）

Q.31

まちの中にある
かっこいいデザインってなに？

人が作った形あるものは何かしら誰かがデザインをした上で世に
ある訳ですが、それらはその当時の最新技術や流行など時代に少
なからず影響を受けます。なので街を構成する建造物は必ずいく
つかの時代が混ざって成立してる訳です。それが街の味となりま
す。そう捉えると必ずしも昔のもの＝ダサいものではなく、当時
の最新作品の集合が時間を超えて並列にあるのかと思えてきま
す。改めて一つ一つの良さが見えてきますね。こう見えてくれば
あなたも手書き地図作成で時間旅行が楽しめますよ。

答え1

レトロな看板デザインを探せ！

沼津の街は古き良き時代の名残を残したお店たちの看板が多くあります。特にスナックやバー、喫茶店のフォントやロゴデザインは今見てもお洒落です。1960、70 年代ごろ作られたのでしょうか。ゴージャスなデザインは景気の良さを感じます。このように時代が切り取られたままのレトロな建物や看板などは、改めて注目すると当時の最新を感じることができます。

あなたの街にもあるであろう、残念ながら古くなり徐々に失われていくこれらレトロな看板はぜひ注目して書き留めておいて下さいね。

沼津クラシック MAP　正統派ひみつのデート指南　（静岡県沼津市）

答え2

地元商品のロゴに大注目

長野県佐久市は酒の街でもあり、佐久エリアで製造された日本酒ブランドはたくさんあります。瓶に貼られたラベルに書かれた酒の名前はやっぱり毛筆で書かれデザインされた書体が多いのですが、味と同様に多種多様です。それらを眺めながら飲むお酒もまた格別なものです。ちなみに僕川村は寒竹が好み。皆さんの地元商品ブランドの商品ロゴも、杯を傾けながら改めてよく観察してみてくださいね。

GOURMET MAP SAKU さくっとグルメマップ（長野県佐久市）イラスト：江村康子

答え3

至る所で桃太郎を感じることができるまち、岡山

岡山駅に降り立つとすぐに目に飛び込んでくるのは、さる、きじ、いぬを率いた桃太郎の像。そして街中を歩いて足元に目をやると、マンホールのような消火栓の鉄蓋には桃太郎が消化活動をしているデザインが施されています。つまり街中のいたる所に桃太郎をモチーフとしたデザインが溶け込んでいるのです。では肝心の鬼はどこに行ったのか？　お見事！ちゃんとまちにも鬼がいました。歩道と車道を仕切るポールを見るとポールが鬼の金棒仕様になっています。みなさんのまちのポールはどんなデザインになっていますか？

岡山休日リラックスプラン MAP
（岡山県岡山市）イラスト：森邦生

Q.32

あなたの街の珍しい動物や鳥を教えて！

街に暮らすのは人ばかりとは限りません。家族として、ワンちゃん猫ちゃんと一緒に住んでる方はもちろん多くいらっしゃいます。ちょっと待ってくれ、大事な家族はそれにとどまらないという方も。お魚だったり、爬虫類であったり、昆虫だったり、鳥だったり。はたまたお猿さんやら亀さんまで。こうなると若干街の有名人となったりしますね。これは敬意を表して紹介しましょう。もちろん町に口伝などで伝わる伝説の生き物もいいかもしれません。手書き地図では偏愛に満ちたロマンあふれる紹介はとても大切です。

答え1

女神湖のカッパは力持ち

長野県にある蓼科山の西北のふもとの女神湖は昔赤沼と呼ばれていました。昔、道と池の間の大きな石の上にひとりの子どもが腰かけていて、通る人に「かぎ引きしない？」といって、指をかぎにして出すのでした。この子どもは力が強く、からんだ手を離さないでそのまま赤沼の池へ引きこんでしまうのです。実はこの子は池の主の河太郎というカッパだったのです。結末としては、力持ちのお侍さんが一泡吹かせ、反省させたそう。そんな民話が立科町では大事に伝わっています。その舞台とも言われている巨石の鈎引石は今も静かに勝負を待っていそうな佇まいです。ここで待っていても、もうカッパは反省しているので鈎引きはできませんよ。

立科うわさ MAP ドライブで GO! 白樺高原編
（長野県立科町）イラスト：江村康子

答え2

マンガに出てきそうなヤンキー高校生の名前風の怪鳥「バリケン」

茨城県つくば市にある洞峰公園は県立の公園で、スポーツ施設はもとより、週末家族でのんびりと散歩したりピクニックしたり、近所の高校生がデートしたりするような公園です。この公園には謎の怪鳥が居ます。その名も「バリケン」。その面構えは真っ赤でコワモテ感が強く初見でのインパクトが大きいようでネットでも話題？の怪鳥とのこと。私（赤津研究員）が、高校生のときにこの公園によく訪れていたけどその時はバリケンなんていなかったような…（何十年も前だからか！？）。

つくば子育てファミリー知っトク MAP
（茨城県つくば市）イラスト：江村康子

答え3

もしかしたら、日本カモシカに出会えるカモ（シカ）！？

ツリーハウスが立ち並ぶ施設の中、一周15分程度の散歩が楽しめる山道のコースがあります。山だけに色々な動物が出てくるこのエリアでは時々狸や狐、鹿に会うことができます。その中で特別レアな動物が「ニホンカモシカ」！何しろ国の天然記念物！会えたらラッキー！そこにいないけれど、もしかしたら来たことがあるかもしれないレア動物に思いを巡らせれば、お散歩がもう一段階楽しくなってきます。ちなみに、ここは絶滅危惧種のレア昆虫にも出会えるエリア。昆虫は柄が細かくて厳密なので描くときは図鑑を見ながら描いてもいいかもしれません。

安藤百福センター あるく MAP
（長野県小諸市）イラスト：江村康子

Q.33

地元ならではの
マンホールデザイン

自覚はないけどまちを歩けばほぼ毎回見ていそうなマンホール。よく見るとデザインも多彩で日本下水道協会がマンホールカードなるものを発行しているほど。あなたも足元のマンホールに目を向けてみませんか？　意外と良いデザインをしているマンホールに出会えるのではないでしょうか？

答え1

足元には忍者。小田原には風魔忍者がマンホールに隠れている！？

戦国時代、小田原を本拠地に関東の覇者になった北条氏。その北条氏に仕えた忍びは風魔一党と言われています。小田原城址公園内には「NINJA館」もあり、北条氏の歴史や風魔一党について学びながら、手裏剣体験もできるようです。忍者の基本は「情報収集」。みなさんも小田原にお出かけした際はぜひ風魔忍者の気分になってマンホールを探してみてはいかが？
ちなみに風魔忍者のマンホールは、可愛いキャラかつカラフルなイラストなので遠目からでも一発でわかりますけどね！

イラスト：江村康子

答え2

上田のマンホールは、上田の歴史に強く結びついていた！

地域によっていろいろと模様や柄を変えるマンホール。戦国武将・真田氏発祥の郷としてその歴史に誇りを持っている上田のマンホールには、市の花である「ツツジ」と合併前の旧上田市のシンボルマーク「六花文」があしらわれています。六花文は真田のマークでもある「六文銭」が元のモチーフ。合併でいろいろな市町村が一つになったあとも残る名残りに、ずっとこの地に住んでいる人たちはジーンとしてしまうかも。マンホールに刻まれた模様から歴史を逆引きするのも面白いですね。

超個人的上田案内（長野県上田市）
作成：タナカチカコ

答え3

マンホールが多彩なまち、宇和島

愛媛県宇和島市のマンホールは、地元の一大イベントである牛鬼祭りの牛鬼をモチーフとした牛鬼バージョンや、地元の伝統文化である闘牛をモチーフにした闘牛バージョンのマンホールなど多彩なラインナップとなっています。マンホールは地域の文化と密接に関わるデザインが多いようですね。そういえば、宇和島のマンホールも色がついたカラー版とそうでない無色版があったのですが、あれってどうしてなのでしょうか？　予算の問題か！？　知っている人がいらしたらこっそり教えてほしいです！

地元の人もよく行く　がいにウマいもの
MAP（愛媛県宇和島市）

Q.34

出会いスポットは文化の交差点

みんな出会いたいのです。いつまでも話が尽きない気の合う仲間
や、逆に話は要らないの、いつまでも見つめていたいの的な運命
の人に。いやーこんなに日本は人がいるのに何で俺は一人ぼっち
でラーメン食ってるのかと変え玉を宣言しつつ若い頃ふと思った
ものです。なので探しましょう。趣味の店だったり、飲み屋や喫
茶店だったり、ショッピングモールのフリースペースだったり。
見えてきますね。さらに、こんな属性の人が集まっているよとい
う情報もつけてみましょう。パリでカフェが文化の交差点になっ
たように、我が街の意外な文化の起点になるかもしれません。

答え1

現役高校生の社交場色々

高校生は基本的にその高校の登下校時に訪れやすい周辺の商店街が社交場です。元祖東京イカ焼きというお店は嬉し恥ずかし他校生との出会いの場所。ラーメンレインボーでは今日も女子会が開催中。味もあっさりして人気です。意識高い系の高校生が訪れる喫茶店はSPARK COFFEE。太宰とかの文庫本を一人読んでるのでしょうか。もちろんコンビニも人気です。立ち読みはしないそうですよ。唐揚げ食べつつ学生が話している姿が見えますよね。このように放課後の何でもない日常を手書き地図で書き留める事で、楽しくイキイキした学校生活が透けて見えてきます。

一高生　生態 MAP（宮城県仙台市連坊）

答え2

鐘をならすのはあなたでしょ

長野県立科町の南側は高原エリア。その白樺高原は乙女湖や白樺湖などを抱え、観光スポットが沢山あります。当時このマップを書いていただいたのはペンションのオーナーや観光協会の方々。なかでもイチオシがゴンドラで上がり入場する御泉水自然公園。1830mの場所は夏でもグッと気温が下がります。仲間や恋人と散歩すれば木々に包まれ少し神妙な気持ちにもなります。が、重要なのは隣にある幸せの鐘です。この場所は恋人の聖地と全国的なお墨付きポイント。恋人の聖地とは何か？ずばりプロポーズの場所。もし意を決してプロポーズするならばここと、地元の方が用意くださっているのです。なので住民イチオシなのです。

繰り返し来たくなる白樺高原 MAP
（長野県立科町）

答え3

仙台連坊の青い春は永遠

ワークショップではチーム編成によりガラッとカラーが変わります。このチームは少し前に高校を卒業した女子の皆さん。今回のワークショップでは連坊周辺で付き合ってる同級生の彼と過ごす「妄想時間」をイメージし、マップに落とし込みました。公園のブランコ、ユニークなマンホール、銅像のある公園、横断歩道なども大切な場所。お金をかけなくても、言葉は少なくとも、彼氏彼女とグッとくる時間を過ごせるリアリティあるポイント満載です。「そうだったよなー」と遥か遠くに過ぎてしまった幾年月を、改めて思い出すのでした。

青春　MAP（宮城県仙台市連坊）

Q.35

どうしてこうなった？
町の噂を探ってみる

かつて城下町で今は住宅街という場所は、今でも道路が入り組んだ状態になっていたり、狛犬かと思ったらゆるキャラみたいな顔をしていたりということがよくあります。あなたのまちにも思わず「どうしてこうなった？」とツッコミを入れたくなるような石像や建造物はありませんか？　どうしてこうなったという理由を探して地図に書いてみるのも手書き地図の醍醐味です。

答え1

橋がカラフルなのは閻魔様が関係していたから！？

愛媛県宇和島市にある西江寺は、地獄の裁判官「閻魔様」が祀られており、毎年えんま祭りが開催されているお寺です。そのお寺の近くを流れる川にはいくつもの小さい橋がかかっており、どの橋も非常にカラフルな彩りになっています。街の噂によると閻魔様に近い橋を赤い色にしてそこからレインボーカラーにしようと思ったが、途中で断念して3色程度に収まったという説があるそうです（噂なので本当のところは定かではないですが…）。

地元の人もよく行く！がいにウマいもの
MAP（愛媛県宇和島市）

答え2

いまにも「ちぎれ」そうな「くびれ」ってナニ！？

長野県立科町には、日本一の呼び声が高い「くびれ」があります。意味不明です。詳しく聞いてみると、町の南と北をつなぐ真ん中の部分がちぎれそうなくらい細い、とのこと。ますます謎は深まるばかりで、現場へ確認しに行くことに（これ超大事！）。そこはスノーシェードのトンネルの中で、一番狭いところが幅約53m。その左右は佐久市と長和町が隣接。そこでようやく「町の幅、細っ！」ってなりました。地図で立科町の形を確認すると、たしかに瓢箪型というか砂時計型というか、なんともいえない「くびれ」になっています。古い道と山の地形をそのまま町の形にしたのかもしれません。なんとも謎ですが、地形好きとしてはけっこう興奮しましたね。

路の國たてしな 古と今が行き交う町
（長野県立科町）

コラム

「皆さんのまちの噂を聞かせて！」

町の噂は手書き地図を書き始める上での大切なカギになります。もしチームで手書き地図を作ろうとするならば、最初の座談会という場をホットにするためにも身近な噂話から始めてみることをおすすめします。諸説ありドンと来い！噂は大歓迎なのです。参考までに、今までの手書き地図ワークショップで出てきたいくつかの噂をご紹介しましょう。歴史系の噂は各地のワークショップでも多く、戦国武将が馬を繋いだ松の木や桜の木、大和政権が東国計略のために造ったと言われる軍隊道路、イタズラすると憤死すると言われる遺跡、調子に乗っていた河童が力比べで負けたと言われる場所、恋愛成就のパワースポットと言われる神社や戦国武将のお墓まで幅広い噂が出てきていました。皆さんの地域にもそういった歴史系の噂はきっとあるはず。ちなみに私（赤津研究員）が激アツだと思った町の噂は、とある山の頂上でUFOがよく出没するという噂です。信じるか信じないかはあなた次第…なんつって。

Q.36

地元に長く住んでいる証？呼び名で わかる地元民かそうじゃないかの判別法

名古屋に転勤した折、仲間から「地上で待ち合わせしている奴は モグリ、普通は地下街」と言われたことを妻に話すと、初めて行 った美容院で、デパートの話題の中「あなたは三越派、松坂屋 派？」といわれ「ぐぬぬ」となったと。お互い住む場所に馴染む のに油断できないぞとその後、傾向と対策を話し合いました。地 名はなおさら。とても難しくて読めない場合が多いですよね。他 所から来た方が地元に馴染めるようにマップでご案内してあげま しょう。

答え1

世代がわかる呼び名の違い「ヌマトー」

あ、あれね、名物の「沼津トースト」ね美味いよね。と知ったかぶりをぶちかますと 3 日恥ずかしくて寝込みます。

正解は沼津東高校のことをこう地元では呼ぶのです。しかし、昔は違いました。昔の呼び名は「ヒガシ」。もちろん少年隊ではありませんし、そのまんまでもありません。ここら辺はかなり難易度が高く面白い話です。土地の名前ではなく、この様な愛称も手書き地図に入れていきましょう。

時をかける沼津 （静岡県沼津市）

答え2

いわゆる難読漢字の交差点「大角豆」

普通に読めば「だいかくまめ」。しかし、地元の人なら読める「ささぎ」の交差点。初見ではなかなか読めない漢字ではないでしょうか。「ささげ」は豆科の植物ですが、この交差点の呼び方は「ささぎ」。その由来は定かではありませんが、きっとその昔「ささげ」でも育てていて茨城弁的なエッセンスを振り掛けられて「ささぎ」という呼び名になったのかも知れませんね。ただ最近は難読漢字としてテレビなどにも取り上げられているので、メジャーな難読漢字になってしまい、もはや難読でもなんでもなくなってしまっているかも知れません。

つくば子育てファミリー知っトク MAP
（茨城県つくば市）イラスト：江村康子

答え3

同じ漢字で 3 つの読み！？間違うとモグリ認定？

中山道の宿場町である「八幡宿」が町の中心にあるこの町は、町のあちこちに宿場にまつわるものが沢山ある。なかでも地元に住んでいる人でないと間違えてしまうであろう宿場に関係あるものが「八幡」の読み方！宿場の名前の八幡宿は「やわたしゅく」、お寺の八幡山は「はばんざん」、神社の八幡神社は「はちまんじんじゃ」。

間違えると地元民じゃないとすぐバレるし、聞いた後でも何回も間違えてしまう、まさかの 3 種類！

ちなみに交差点名は「Yawata」になっていた。ヤハタだと思っていたよ…。

江戸の旅情を感じる 八幡宿
（長野県佐久市）イラスト：江村康子

Q.37

実は不思議に思っていたシリーズ
（建物編）

....

長く暮らしていると、そこにある風景は日常ですよね。でも一歩踏み込んで考えてみると、実は知らないことがあるかも。たとえば、地元を流れる川の源流を知っていますか？ 近所の農地で作られている作物は野菜か果物か？ 街路樹の種類は？ 特に建築物に関してはわからないことが多い気がします。学校っぽいけど何を学べるのか。工場っぽいけど何を作っているのか。古い建物だけどあれは何なのか。きっとそういう建物が皆さんの目には入っているはずです。ちょっと丁寧に調べてみてはいかがでしょう。地図から探ってもいいし、歩きながら調査してもいい。長く暮らしているからこそ、新しい発見があるかもしれませんよ。

答え1

見えてるのに見えないもの

日常に関わらないものは、人はあまり必要と捉えないので目に入っていても見えてきません。稲毛のワークショップでは、周りの工場群が何を造っているのか、どんな人が働いているのか壁の内側は見えないため解らない。むしろ、怖い、うるさい、車の往来が激しいというネガティブなイメージがありました。マップ作成というきっかけは、見えなかったものが見えるチャンスとなりました。参加当初少し寡黙な印象だった年配の方が「俺話に行ってくる」と自ら工場に駆け出していったのは今でも嬉しく思い出せます。マップ作成の後に見える工場は少し違って見えているはずです。

あなたの知らない稲毛の工場
（千葉県稲毛市）

答え2

立科の家の塀にかかれた謎の壁画

南北に細長ーい、長野県の立科町。ほーんと、変わった形をしています。ここでは 4 つの地区に分かれて、地元のみなさんに手書き地図を作っていただきました。そのひとつの茂田井地区には、塀に描かれたナゾの絵があるということで、みんなで確認に。するとそこには、達磨大師のような人物の顔がずらりと描かれていました。その数、10 人。それぞれ異なる人物のようです。よく見ると、武田信玄にも見えてくる。塀は木製で、おそらく民家のもの。寺院とかでもないし、けっきょく聞くに聞けず…。まあ、居住者の方の趣味(仏教絵画ファン) という可能性もありますけどね。

水がはぐくむ町 立科（長野県立科町）

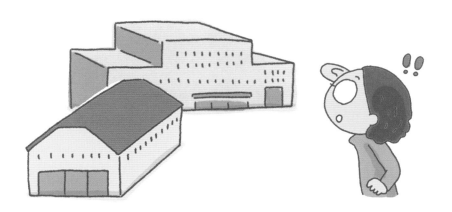

Q.38

実は不思議に思っていたシリーズ
（文化編）

建物と同じように、長いこと暮らしていても気に留めないことがあったり、逆に気になっていても確認する機会がないものなど、挙げたらきりがないですよね。手書き地図ワークショップは、そういう小さな「火種」のようなものを誰かがふと口にした途端、ネタになってしまうから不思議です。「そういえば、あれってよく見かけるけど、なんなの？」そのひと言で、事態が一気に動く可能性があります。ここに登場するコトモノも、思わぬ疑問やつぶやきからはじまったものばかりです。

答え1

観光バスでツアーも来る？ガーデニングのまち恵み野

北海道恵庭市の恵み野は、まちを挙げてガーデニングが盛んなまちです。どうしてガーデニングの街になったのか？というと、実は新しくこの街ができた時に、住民の人たちが中心になってどんな街づくりをしていくか？ということを議論されたそうです。古い歴史ある街という訳ではない恵み野を将来どんな街にしていきたいのか？１つのテーマとしてガーデニングというキーワードにたどり着いたとのこと。いまでは観光バスがガーデニングツアーとしてまちを巡るそうです。

あなたはどうして恵み野へ？
（北海道恵庭市）イラスト：江村康子

答え2

単なるカラフルな旗ではなかった！ご贔屓の宿坊に掲げる「布招き」

神奈川県伊勢原市の大山は、参道に立ち並ぶたくさんの宿坊やお土産屋が印象的。その先にあるケーブルで大山阿夫利神社まで行くことができるため、いつも参拝客で賑わっています。ひと昔前は、地域ごとに大山を信仰するグループ「講」が発達したこともあって、歩き旅をしながら大山を目指すのが普通のことでした。ようやくたどり着いた山麓で出迎えてくれる宿坊は、旅の疲れを癒したり、登拝の拠点にしたり。布地に講の名称を染めた「布まねき」は、遠くからやってくる講のみなさんをお招きする目印として入口に掲げたのだとか。洒落てますねー。こういうことは、みんながみんな知っているわけではないトリビアなので、とても勉強になります。

おおやまふもと MAP（神奈川県伊勢原市）

答え3

方言じゃないと「思い込んでいる」方言がある！

「結婚して初めて義両親とご飯を食べた時『メタ食べな』って言われて『メタってどれのことだろう』って焦ったの」という笑い話。メタとは長野県の方言で、「たくさん」という意味で使われています。なまっていたり、あまりにも違えば方言だなと認識できるのですが、厄介なのが「なんとなく漢字に変換できている言葉」。
「持ちに来る」は取りに来るという意味でみんな自然に使っている方言。外から来た私はウフフと笑いながらそれを愛しく聞いています。

サクヨタバナシ（長野県佐久市）
作成：江村康子

8章

STEP3

個人的な思い出やストーリーを書いてみよう!

　個人的な出来事なんて特にないよ!　なーんて言わずに、よく思い出してみてください。たとえば、あなた自身の胸にしまってある失敗談や、時効を迎えたまま放置していた内緒話などが、強烈なインパクトを残す手書き地図らしいネタだったりします。そのほとんどが、特別な何かではなく、日常の何か。小学生のころ、中学生のころ、高校生のころ、大人になった今。友だちとやり取りしたことでも OK です。手書き地図ワークショップでよく話題になるのは、初デートのことや、部活や仕事をサボって何をしていたか、行きつけのお店での思い出、クセになるほど美味しいメニューの話などなど。あ、推しがいるジムや病院なんてのもありますね。もちろん「あっても言えないよ!」というネタや、知られたくない推しの存在は、無理に出さなくていいですよ（フリじゃありません）。

　いやはや、手書き地図ワークショップをやっていると、各地の皆さんの話が本当に面白くて。最初は個人的な思い出なんて話せないよーって感じの人でも、一度口からついて出してしまうと、次から次へと出てくるっていうのが個人ネタのパワーなんですよね。それはそうですよ、皆さんずっとその町で暮らしてきたわけですから。あるでしょう、秘蔵ネタ（笑）

　そこで、手書き地図推進委員会の研究員たちが、毎度のように面白いなーと唸る「鉄板個人ネタ」の切り口 TOP3 を挙げてみたいと思います。

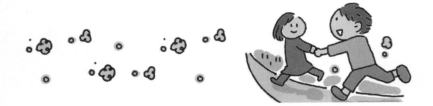

内緒の告白スポット（またはデートコース）

多いのは神社の境内で初告白というパターン。うまくいった場合は、その境内でトークして距離を縮めていく作戦というもの。町に1つしかない映画館やボーリング場ってのもあったなあ。で、デートできる場所がそこしかないからすぐにバレるってパターンも全国共通のこと。これ秀逸すぎて笑っちゃいますね。

皆さんの場合は、どうでしょう？　神社じゃなくても、映画館じゃなくても、もちろん OK です。いやむしろ「あ〜！」ってなる場所ネタが、あなたの胸の内に隠されているのかも！？

ちなみにぼくは、近所の「霊園」だったなあ。なにもそんな怖いところでと思うかもしれませんが、そこに立派な東屋があったんですよね。部活の後にそこで待ち合わせをして、何も喋らずにただ座っていたんだっけ。あのころはピュアだったなあ（遠い目）。

 怖い定食屋

これも全国各地にありますね。怖いというのは、お化けが出るとか G がデカいとかそういうことではありません。たとえば、こんな感じ。

・メニューを頼む声が小さいと怒られる（うえー、怖えー）
・大人数で入って全員が異なるメニューを頼むと睨まれる（な、なんだよ。いいじゃねーか）
・兄弟や夫婦で切り盛りしていて、よく口喧嘩している（と、飛び火が怖い）

ふふふ、皆さんの地元にもありませんか？　あるいは「怖い」じゃなくて別のキーワードでもいいかもしれません。ご主人がいっさい喋らない定食屋とか、必ずメニューを間違える町中華とか。ないか。

 ずっとナゾに思ってました系

意外と多いのが、ナゾ系のネタ。ずーっとそこにあるのに、何をやっているか今でもわからないお店とか建物って、きっとあなたのご近所にもあるのでは。

・ふつうのお宅だと思うけど、壁に達磨大師的なキャラの立派な肖像画が描かれていてナゾ
・ふつうのお宅だと思うけど、軒先に金魚鉢がたくさん置いてあり金魚とともに売り物って書いてあるものの、金魚は入っていないし買う窓口はないしでナゾ
・伊勢原なのに、なぜか諏訪の御柱がたっててナゾ（長野県茅野市が姉妹都市とわかり、その場で解決）

とまあ、こんな感じ。地元に暮らす人にとってはあまりに日常風景すぎて、目に入っていても脳の手書き地図回路にはひっかからないってことはありそうですね。もうナゾとすら思ってないパターン。こういうときに、同じ地域の他の人が話すネタで思い出したりとか、その場所を歩きなおしてみたりするフィールドワークという行為が、大事になってくるわけです。だから座談会とフィールドワークは、手書き地図を作る上で大切なプロセスなんですよね。

Q.39

食にまつわる超個人的な思い出

手書き地図推進委員会は、ワークショップで色々な場所に伺うと必ず食べ歩きます。地元おすすめの美味いものは大好物。皆が認める美味しいものも大事ですが、あなたの個人的な思い出が詰まったとっておきのエピソード込みで紹介することで「その味」に興味がわくこと請け合いです。書かれたあなたの熱量に思いを馳せて読者は追体験をしたくなるものです。

答え1

おしっこが黄色くなるラーメン！！！

茨城県つくば市でのワークショップで飛び出した衝撃のひと言。これは小学生の男の子が、週末に家族で食べにいくのを楽しみにしているラーメン屋のことで、そこには確かに「愛」がありました。美味しいし、好きなラーメンなのです。それを「おしっこが黄色くなる」と表現することがフリーダムだし、手書き地図っぽくてナイス！　東北育ちで味濃い派の僕は、もうそれだけで食べてみたくなりましたよ。地図には店名がありませんでしたが、それはあとから調べればいいこと。手書き地図には、こうした思い出や感想だけで「行ってみたい！気になる！」と思わせる力があるのです。

2人の町（茨城県つくば市）
作成：大村はるか

答え2

ソウルフードは空気や水の如し

ソウルフードって何だろう。特別な逸品もあるかもしれません。でも、どちらかと言うと地元で語られるのは、悲しい時も嬉しい時も毎日食べることのできる、気をてらっていない安定安心の品だったりするかもしれません。ふと日々を振り返ると、あの食べ物をいつも口にしていたなって時間を経て気付くもの。沼津上土商店街にある桃屋さんではコロッケパンやメンチパンなど惣菜パンが人気です。大人から子供まで地元の人にずっと愛される理由が分かる気がします。

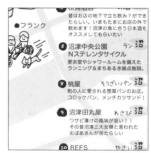

底なし沼津マップ（静岡県沼津市）
イラスト：中尾仁士

答え3

出来立て熱々を熱いまますぐ食べるのが買い食いの基本です

手書き地図推進委員会が設立当初、マップを手に佐久の皆さんに連れられ案内いただいたのが、佐久にある新海たい焼き。女将さんの焼くたい焼きが佐久の衆を惹きつけるソウルフードとなっています。佐久といえば鯉でありますが、おやつで欠かせないのはたい焼きというわけです。たい焼きはみんなで熱い熱いと手に取るや否や顔を綻ばせて食べることを含めて美味しいのだと思います。もちろん餡子がみっちり入っているたい焼きは一人で食べても美味しいですよ。

ぴよぴよツアーズ旅のしおりマップ（ウラ）（長野県佐久市）　作成：江村康子

Q.40

思い出の地元のお祭りと
云われってある？

地元のお祭りっていうと、いい思い出もあれば切ない記憶もあります。御神輿が好きで、それを担げることを楽しみにしていました。近所の友だちと「夜遊び」できるのも嬉しかった。好きな子が他の人と一緒に歩いているのを目撃したときは切なかったなあ。あと、掬ったばかりの金魚をすぐに死なせてしまったことも、ちょっと悲しい思い出です。そんな風に、祭りのたびに大人になっていく気がするのは本人だけなのかもしれませんが、そういう超個人的な思い出を、ぜひここで書き出してみてください。もちろん、祭りそのもののトリビアでも OK ですよ！

答え1

夜を徹して踊り、湯をかけ、命を燃やす「霜月祭り」

長野県飯田市の遠山郷で行われ、全国ファンを持つ霜月祭りは、釜の熱湯とともに湯立神楽を夜通し神々に奉じる重要無形民俗文化財です。なんと 800 年も続く神事だとか。毎年 12 月に行われますが、11 月になるとそわそわし始め、肉を絶って挑むという、祭りに熱い思いをもつ人も一部にはいるそう。遠山郷のいくつかの地区を数日かけて巡る祭りには、全国からファンが集います。宮崎駿さんが「千と千尋の神隠し」の参考にしたという話はよく知られています。

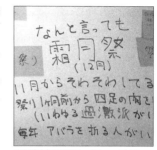

遠山郷手書き地図ワークショップより
（長野県飯田市遠山郷）

答え2

佐原の山車（お気に入りを思い入れ強く大きく描くエコひいき）

千葉県佐原市のお祭りには、たくさんの山車がまちを巡り歩く「佐原の大祭秋祭り」なるものがあります。お祭りに使う山車は普段は格納する車庫の中に入っているのですが、この山車入りの車庫が街中にたくさんあります。佐原まち歩きマップを作成した越川さんに話を伺うと、お祭りがない時も地図を見てお祭りの雰囲気を感じながらまちを歩いてほしいというのと、自分のお気に入りの山車は地図に大きく書いてエコひいきをしているとのこと。たしかにマップを見てみると、ある山車だけでかく書いてありました（笑）。

佐原まち歩きマップ（千葉県佐原市）イラスト：小野川と佐原の町並みを考える会

答え3

小満祭は地元のお祭りであると同時に農家の暦にもなっている

5 月末の二十四節気の小満に合わせて長野県佐久市で行われる大きなお祭り「小満祭」。稲荷神社由来と思われる手作りの巨大な狐が、信号のある交差点やコンビニの入口などいろいろなところに設置されます。かなり巨大。赤と白のしましまで平らな尻尾が特徴的で、中には目が光るものも（また見たいな）。

地元の大きな基幹病院が近いので、病院祭も同時に行われることが多いのも特徴で、この時期になると街全体がそわそわし始めます。

「小満祭が終わるまでは霜が降りることがあるから」と、農家の人はこのお祭りを農作業の目安にもしているらしい、暦にもなっている地元密着のお祭りです。

ウスダエキチカ MAP（長野県佐久市）
作成：江村康子

Q.41

自分だけの思い出の場所は？

自分の思い出を頭の中だけでなく、具体的に形にして書いてみると、不思議と関連する出来事が次々思い出されます。もし、皆んなには話したくないことがあれば、一人で作るソロワークでもいいかもしれません。思い出は頭の中だけでは少しづつ形を変え小さくなりそうです。日記のように手書き地図に記すことで思い出を一度位置とともに定着させてみましょう。もう一度会いたくなる、行きたくなる大事な場所が見えてきますよ。

答え1

この秘密の小道を通ったら

狩野川は沼津までくるとほぼ終点に近く、緩やかに曲がりながら街を通り海へ注がれます。河口付近のゆったりとした風情は沼津の中心地の街並みに欠かせません。その河岸をカップルで話したり、話すでもなく流れ揺れる川面を2人見ながらそぞろ歩きしたりするにはぴったりのポイントです。いいなー(遠い目)。昔は船着場もあったようで、その名残の小さな秘密の抜け道も雰囲気があります。付き合い始めのカップルが手を繋ぐにはぴったりの舞台となっています。探してみてね！

沼津クラシック　正統派ひみつのデート指南　(静岡県沼津市)

答え2

だって、目に入っちゃうんだもん！！

青森県の弘前大学人文社会科学部で4年間の集中講義を行いました。学生の皆さんから教わったトリビアのおかげで、僕もずいぶん弘前に詳しくなったなあ。学生生活を送る際にあらかじめ知っておきたいことがけっこうあるそうで、それを未来の後輩のために地図に落とし込もうという試みが多く、とても印象的でした。キャンパスを有効に活用するアドバイスのほか、周辺の通学路事情、雪や凍結などのリスク対策など、かゆい所に手が届く内容ばかり。そんな中、講義のあとにトレーニングルームを通ることがひそかな楽しみだという学生さんが。曰く、イケメンが鍛えている光景が尊いのだとか。あ、覗いているわけではありません！　とのことです。

私たちの大学生活プチ情報 MAP（青森県弘前市 弘前大学)

答え3

茅ヶ崎は駅前でもトンビに注意

とある雪の降る日、地元のご近所さんと茅ヶ崎をテーマにお互いソロで手書き地図を作りました。1時間と時間を決め集中して書きました。結果書けたのは超個人的な日常。私が書いたものと、友人が書く茅ヶ崎はそれぞれ違います。面白いですよね。雨の日など外に出かけるのが億劫な時、お友達とやってみてください。直近の出来事で私が書いたのが、朝、サンドイッチ屋さんのサンドーレでコンビーフサンドを買って食べながら歩こうとしたら、バサっと頭を叩かれた感覚が！なんとトンビが持っていってしまいました。海では気をつけてますがまさか駅前でとビックリした思い出の場所です。トンビには気をつけましょう。

茅ヶ崎　個人的ちょっといい感じの所一部 MAP　(神奈川県茅ヶ崎市)

Q.42

あまりに日常過ぎてその面白さに
気がついてないスポットとは？

「日々の生活の中ではすっかりその風景に慣れてしまったから今更」と思ったら、どうするか。「あなたの日常は誰かの非日常」な訳だから、旅をしている誰かになればいいのです。旅人ごっこをしてみましょう。あそこは観光向けだからと敬遠していたレストラン、神社やお寺、川や海や山はどう見えてくるでしょう。私たちは、旅する時には楽しもうという気持ちで向かいます。あばたもエクボ。少し残念でもよく解釈するでしょう。せっかくの旅を楽しみたいからです。この技でいつもの街が違って見えてきそうです。

答え1

現代アートな重機の群れ

千葉県稲毛市のワークショップでのフィールドワークで、とある陸橋を上った時に、カラフルな色が見えてきました。10 数台の産業車両の重機が駐車場に並んでいます。なかなか壮観です。オレンジや黄色の色が青空に何本も伸びています。この光景をたんに通り過ぎるか、「何これーすごいですねーこんなに多く」と誰かが発言するかで状況が一変します。この時のフィールドワークでは、大の大人達が「凄いねー」と口々にいいあっていました。なんでも面白がる視点がしっかりできていましたよ。

あなたの知らない稲毛の工場
（千葉県稲毛市）

答え2

生活に風景に空気のようにある当たり前の山「太郎山」

地元の人が毎日眺め、毎日見守られている、当たり前にそこにある長野県上田市の「太郎山」。毎日の習慣で散歩するように登る人もいる、今も昔も地元の生活に密着しているシンボルマウンテン。市民の山とも言われ、市民は遠足などで 1 回は必ず登ったことがあるんじゃないかな？　霧が上から滝のように流れる「逆さ霧（滝雲）」は天候が変わる前に起こるので、天候の判断にも使われているくらい馴染み深く、初めて見た人は歓声を上げるけれど、地元の人にとっては日常の光景。
太郎山は市街地のどこからでも見える位置にあるので、書いておくと地図の何となくの方角もわかります。

超個人的上田案内（長野県上田市）
作成：タナカチカコ

答え3

斐伊川が流れる井上橋からの景色がとても綺麗

島根県出雲市の斐伊川（ひいかわ）にかかる井上橋（いあげばし）付近は砂河川になっており、目の前に広がる広く平らな砂地の所々に川が流れているような錯覚に陥ります。コンクリートでできた細い橋は、人と人がすれ違うのも気を遣う程の幅しかない細い橋です。出雲市の北陽小学校 4 年生（当時）が作成したマップには、「井上橋からの景色はとてもきれい」「斐伊川でビールを飲むといい。でもビールのカンをすてたらだめ」と書いてあります。まちの人たちは日常的に使う橋らしいのですが、立ち止まって周りを見渡すと確かに素敵な景色が広がります。普段の生活の中でもいったん立ち止まって後ろを振り返ったりすると、何か面白いことが発見できるのかも！と思わせてくれました。

川行けマップ（島根県出雲市）
作成：出雲市立北陽小学校 4 年生

Q.43

自分だけの秘密の絶景ポイントは？

絶景といっても、自然豊かな国立公園級絶景ポイントが皆さんの地域に全てあるとは限りません。ちょっとした自然の中にも、またユニークな見晴らしが可能なポイントなど自分なりの絶景ポイントがあるかも。日常の中で心が動いた場所を忘れずに書き留めてください。

答え1

身近な自然に素直に感激できる。これこそ絶景ポイント

神奈川県鎌倉市、西鎌倉小学校の女子のメンバーが作ってくれた手
書き地図では、いつも遊ぶ公園の中に地域の身近な自然の豊かさや
美しさを発見して書き込んでいます。いつもの公園や自然の場所に
対して春夏秋冬、それぞれの季節を繊細に感じ取ってその良さを表
現しています。春の桜の色、夏のセミの綺麗な声や気持ちのいい木
漏れ日。秋の落ち葉のカーペット、冬の地面の草の間にできる霜
柱。彼女達の身近な絶景はこんな所にあります。優しい視点で読む
相手を想って一生懸命書かれたコメントがとても素敵なメッセージ
となっています。

鎌倉市西鎌倉小学校 3 年　季節によって良
さが出る地いきの自然（神奈川県鎌倉市）

答え2

埼玉県ときがわ町　自分の絶景をみんなの絶景にする額縁

埼玉県ときがわ町の「食品具マップ」の作者である川崎さんが営む
小物屋さんの前庭にある額縁。目の前を流れる都幾川から望む山々
の景色にポツンと置かれた額縁。額縁を通してみるとその景色自体
が作品になります。額縁の置かれた場所からときがわの自然をぜひ
味わってほしい、そういう思いで川崎さんが額縁を置いたそうで
す。額縁を置くことで、来街者は自然に額縁を通して景色を見てみ
ようとします。自分が絶景だと感じる場所を、みんなの絶景ポイン
トにするアイデアです。あなたが普段見ている何気ない景色の中に
も、額縁を置いて他の人にも知ってほしい絶景はありませんか？
それを手書き地図に書いて教えてください。

イラスト：江村康子

答え3

車を降りてちょっと奥に入る、ひと手間かかった「絶景」

長野県小諸市にある古い商家の建物を再利用した「北国街道ほんま
ち町屋館」の門をくぐるとある小さな芝生のスペース。ベンチはあ
るけれど遊具はありません。山が近いこともあって遠くまで抜けた
見晴らしのいい広場からは、山の中にある美術館の特徴的な屋根
や、地元のシンボルでもある浅間山が一望できる絶景ポイント。街
並みの中にあって、ちょっと行って車の中から通りすがりに見る、
ということはできないので、「お手軽だけれど自分だけが知ってい
る」スポットにもなっています。

45°上を見て楽しむ小諸（長野県小諸市）

Q.44

視点を変えたら、あら壮観！

目に見えるあらゆる光景を対象に、超個人的な「壮観」を見い出すこの質問。自然の素晴らしい風景や、壮大な建築物はもちろん、見方（視点）を変えてみることで自分なりの「壮観」を見つけてみましょう。たとえば、こんな具合に。

答え1

絶景は自然豊かな景色だけじゃない

東京都大田区にある松仙小学校の3年生（当時）が書いた作品「おんたけさん・久が原絶景マップ」には「駅のホームから見える富士山がきれい」や「公園の汽車の遊具から見える夕日が綺麗」など、学校を中心に自分たちの生活範囲にある絶景をうまく地図に書いてくれた作品でした。その中にパン屋さんが書いてあり、「入った瞬間綺麗なパンが並んでいる」と書いてくれていました。小学校3年生くらいの目線で見ると、お店の扉を開けて目に飛び込んでくる焼きたての美味しそうなパンたちも「絶景」と捉えられる目線がとても素敵でした（自分の場合、近所のパン屋では入った瞬間お気に入りのサンドイッチを探しがちなのでちょっと反省）。

おんたけさん・久が原絶景マップ（東京都大田区）作成：大田区立松仙小学校3年生

答え2

おびただしい数の庚申塚が圧巻すぎる！

山間の集落や峠道などでよく見かける庚申塚。庚申とは、中国の道教をもとに、密教や山岳信仰、そして民間信仰などが複雑に絡み合った信仰のひとつです。江戸時代から明治時代にかけて盛んでしたが、現代においては正直なところよくわからないという人の方が多いのでは。そんな中、ちょっと異世界感のある庚申塚が長野県は遠山郷の山中にあるということで、確かめに行ってみました。すると、そこにはおびただしい数の石が山肌に埋もれるように……。異世界感とは言いましたが、けっして悪い感じではなく、むしろ神秘的で超おごそか。視点ひとつで壮観な光景に感じてしまうから不思議です。とはいえ、みんなで圧倒されて帰ってきましたけどね。

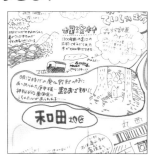

よってけよってけMAP
（長野県飯田市遠山郷）

答え3

東京タワーの「見える度」を表現！

道路の案内板や公共施設の遊具などをつくる株式会社コトブキの企業研修として実施した手書き地図ワークショップ。本社のある東京・浜松町で行いました。大人の本気を目の当たりにした、とても素晴らしい場になったことを鮮明に覚えています。それもこれも、社員の皆さんの多様な発想と多彩な表現のおかげ。特に「東京タワーの見え方」に着目した「東京ベスポジマップ」はナイスアイデア。東京タワーの見える場所を地図にしただけでなく、それぞれからの見える度合いをパーセントで表現したのです。こういう遊び心が手書き地図の自由なところだし、手に取る人を魅了するのだと思います。

東京ベスポジマップ フロム 浜松町
（東京都港区）

Q.45

あなただけが知っている！？
人には教えたくないお店

お友だちが遊びにきた時に絶対に連れていきたいお店でおすすめの料理をワイワイと食べて楽しむ。一方で、裏路地に佇む小料理屋さんに自分独りでカウンターに腰掛けてひっそりと楽しむ。あなただけが知っている？そんなお店はありますか？

答え1

しっとり系焼きいも屋さん（いまでは全国区？）

茨城県は、さつまいもの生産量が鹿児島県に次いで第2位のさつまいも県。つくば市にある「かいつか」さんは、しっとり系の焼きいも屋さん。もはやその甘さは「え？これスイーツじゃん！！」「焼きいも産業革命や〜！」とつくばの中心で叫びたくなるほどの美味しさです。最近は、焼きいも流行りもあって有名店になっているので「あなただけが知っている」から「もはやみんな知っている」お店になってしまったかもしれません。

ウワサで巡るつくば（茨城県つくば市）
イラスト：江村康子

答え2

地元の人で知っている人も少ない？！トマト販売所

東京都稲城市に住むベテランご夫婦曰く、黒川駅近くの農家さんのトマトがとっても美味しい。ただし普段は看板などが出ているわけではなく、「トマト販売中」の看板が掛かっている時だけ買えるトマトとのこと。普段は看板すら出ていないので、いったいどこの農家さんがトマトを直売しているのか？詳細が本当にない話。トマトの季節になったら駅周辺の農家さんを見て回るしか見つける方法がない、本当にあなただけが知っているお店情報なのでした。

ここちよい街稲城マップ（東京都稲城市）
イラスト：江村康子

コラム

「誰にも教えたくないお店、誰かに教えたくなるお店」

さて、問題です。超お気に入りのお店があるとしましょう。あなたなら、そのお店を誰にも教えたくないと考えますか？　それとも、誰かに言いたくなりますか？
うーん、まるで頓智のような難題ですが、この「教えたくない、だけど、教える」という矛盾と向き合った素晴らしいアイデアが、天童木工の手書き地図にありました。それは、地図に「そのお店だけ書かない」ということ。そして、地図を手渡しするときにそっと「実は一番好きなお店だけは載せてないんです。でも、あなたには特別に教えますね……」と耳打ちするのです。これ、なかなかのテクニックだよなあ。自分で作った手書き地図を手渡しすることが前提ですが、でも「教えたくないけど、教えちゃう」という矛盾したファン心理が見事に共存していると思うわけです。ピンときた人は、ぜひ真似してみてね！

Q.46

ひとりでぼーっとできる
秘密のスポットは？

ひとりでぼーっとできる秘密のスポットを、わざわざ手書き地図で披露する時点で「秘密」じゃないじゃん！　なんてことは言わないで、ぜひみなさんの秘密を共有してください。これまでのワークショップでは、仕事をサボるときに行く場所を明かした人もいたし、秘密がありすぎて驚かれた人もいました。そのときのワークショップの雰囲気は、笑いに満ちて明るくなったことを覚えています。そういう雰囲気で完成する手書き地図は、やはり明るい雰囲気になるのだと思いますよ。

答え1

勇気を持って天下にさらした、自分だけのサボりの聖地

前述の株式会社コトブキの企業研修で披露された「ひとりぼっちず」は、これまた秀逸なテーマ設定でした。とにかくひとりになりたいという欲求（それも、仕事中に！）を満たすスポットを、天下にさらしてしまった地図です。孤独が好きなのか、集団が苦手なのか。浜松町駅周辺にコツコツ開拓してきた「ひとりになれる場所」は、一人ランチ、サボり、昼寝などなど。会社の研修でこれを描く勇気たるやと、周囲からの評価は抜群。これまで話したことのなかった作者に親近感をもった瞬間でもありましたね。

ひとりぼっちず（東京都港区）

答え2

ポカーンとしたい人は埼玉県ときがわへ

手書き地図推進委員会結成のきっかけにもなった、ときがわのマスター作成の食品具マップはいつ見ても最高。基本的に車で通勤や移動をしている中で書き留め作成されたものです。なので、ドライバーの気持ちで書かれています。その中でも秀逸なのが、マップ右上のコメントで「クルマを停めて降りてみて　頭の中がポカーン」と書かれています。埼玉の山々の自然の良さを通り過ぎるだけではなくて味わってほしいということでしょう。本人自らこの事をやっているからこそ書けるコメントですよね。

ときがわ食品具マップ 25-6（埼玉県ときがわ町）　作成：川崎敏雄

答え3

長閑でほっとする、ヤギのいる風景

神奈川県伊勢原市の日向地区は、その名の通り、太陽の陽射しがさんさんと降りそそぐのどかな土地。ふと見ると、彼岸花の群生の中に白い動物の姿が…。それは、ヤギでした。このなんとも牧歌的な風景は、日向地区のみなさんにとっても癒しのようで、しばしば眺めに来るのだとか。僕もぼーっとしたくて、後日ひとりで眺めに行きましたよ。

日向より道 MAP！（神奈川県伊勢原市）

Q.47

通学路で見かけて
気になっているものってある？

通学路で気になっているものはなかったですか？　電線が異常に多い電柱、同じ場所でいつも拾われていない犬のフン、秒速で車道の信号が赤に変わる押しボタン信号機など。クルマとは違って歩いて学校に通っていると細かい事に気がつきます。

ちなみに、私（赤津研究員）の子ども（小学校 6 年生くらいの時）は通学路途中に停車しているキャンピングカーを指差して、Fortnite というゲームでキャラクターが復活できるクルマ（リブートバン）って呼び、復活ごっこをしていました。

答え1

クルマで通り過ぎたらわからない並木たちの個性

神奈川県鎌倉市の「西鎌倉並木通りふしぎな形の木マップ」を描いてくれたのは、西鎌倉小学校の3年生（当時）。何も気にかけないと通り過ぎてしまう並木の風景も、よく観察すると木のひとつひとつが個性を持っていることに気がついてくれました。普通の木に見えるけど途中で「くの字」に曲がっている、葉っぱの形がハートのカタチになっている、など。実際に歩いたからこそ書ける、クルマで通りすぎたら絶対に見ることができない景色を地図に書いてくれました。

西鎌倉並木通りふしぎな形の木（神奈川県鎌倉市）作成：鎌倉市立西鎌倉小学校3年

答え2

不揃いな雪のアートの正体とは

青森県弘前市にある弘前大学で、極寒の二月に行ったワークショップでのこと。道路はもちろんキャンパスにも雪が積もり、それが除雪によって壁になっているところが多々。人の通らないところは積もった雪がそのまま残されていて、まるで生クリームのような形状に。ところが、不自然なくらいモコモコしているところがあって、ずっと気になっていたという学生が。これ、じつは下に自転車が埋まっているからなのだとか。キャンパスに放置したままの自転車による、不揃いな雪のアートみたいとの声も。

弘前雪MAP（青森県弘前市）
弘前大学ワークショップより

コラム

「考え方や視点次第で、あらゆることが地図になる」

学校や会社への通学・通勤路って、最短で効率的なルートだったりしますよね。道中では、直近のテストのことやケンカした友だちのことで頭がいっぱいだったり、ヘビーな仕事のことで気が重かったり。とくに朝はまだ頭も身体もエンジンがかからずつい下を向いてしまったり、ぼんやりしちゃって過ぎゆく風景に気持ちを向けることができなかったり。

そんなときは無理をせず、たとえば下を向いたまま、足下を過ぎゆくコトモノをつぶさに観察してみるもの一興です。こんなところに溝なんてあったかな。このマンホールのデザイン面白いな。横断歩道のペンキが薄くなってきたな。あんなところに花が咲くんだ。そんな具合に小さな事実をメモして、いつもの通学・通勤路の簡単な道順にそのメモを添えていくのです。どうですか、オリジナルの「足下マップ」が出来ちゃいましたよね？　視点次第で発見があるんだし、たまには下を向いて歩くことも悪くはないと思うのです（転倒注意）。

Q.48

地元に友だちを連れてくるときに
おもてなししたい特別な場所は？

さあ、地元に友だちが遊びに来る！　どこを案内しよう！　時間はたっぷりあるから、とりあえず町中で済ますっていうのはアレだしな。よし、ここはやっぱりあそこに行くしかないな！　あいつきっと驚くぞ！と、こういうテンションで連れていく場所ってどこですか？　超個人的な思いつき、ウェルカムですよ！

答え1

SABOTENS にサボテンをご紹介します！

ある日ふらりとご飯を食べに行った町中華。びっくりするほど巨大なサボテンが鎮座している！ その時頭に浮かんだのが「サボテンが好きなあの人達」！ 案内するために再び行ってみたら、株分けされたのか小さなサボテンやハリセンボンまでいるじゃないの（こういう形状が好きなのかな）。サボテンが好きな SABOTENS が、サボテンが好きなお店の人と、サボテンについて話しているのはとても良い風景。同じモノが好きな人同士が出会うきっかけになるのも手書き地図のいいところ。

臼田エキマエまちあるきレポ
（長野県佐久市）作成：江村康子

答え2

まさかの山奥、しかも野天風呂でおもてなし！

個人的に何度も行っている本沢温泉は、長野県南牧村にある八ヶ岳の山小屋のひとつです。なんといっても名物は「日本最高所野天風呂・雲上の湯」でしょう。脱衣所も衝立も何もないところに温泉だけがポツンとひとつ。男性 3 人くらいでいっぱいになる大きさですが、なにしろ大迫力の硫黄岳直下にある野天風呂だけに、その野性味には多くのハイカーが魅了されてしまいます。いくら友人でも、こんなところまで（しかもまあまあ歩く）連れてこられるとは思ってないだろうなあ。しかし、登山をする人なら喜ぶこと間違いなしですね。

EMURA TOURS エムラ的佐久めぐり（長野県佐久市）作成：江村康子

Q.49

タイムスリップして
探検してみたい場所は？

タイムスリップして探検ですって？　それができるなら、あんなところやこんなところまで、あちこち行ってみたい！　自分の過去を訪ねるのは勇気がいるかもしれませんが、歴史上の出来事を確かめにいくとかなら、縄文の太古から平安、戦国、江戸、明治まで、行きたいところがたくさんありすぎるなあ。あ、趣味に走ってしまい失礼しました。あくまで手書き地図って前提でね。

答え1

研究員4人でソロワークした「あのころの渋谷MAP」

新型コロナウイルスで多人数のワークショップができなかったころ、委員会の4人でソロワークを実施しました。みんな自宅からオンラインで参加して、決まったテーマが「あのころの渋谷」を手書き地図にするというもの。それぞれの個人的ヒストリーをもつ研究員ですが、共通して知っていたのが渋谷だったというわけです。これね、本当に楽しい時間でね。書きながら、もう一度1990年代の渋谷カルチャーの渦中に身を投じたいと思いましたよ。コロナ禍なんてものよりもね。

あの頃の自分によろしく!MAP(東京都渋谷区)作成:赤津直紀

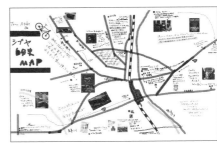

シブヤ自分史MAP（東京都渋谷区）作成：跡部徹

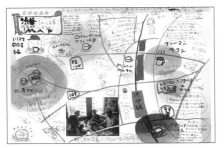

渋谷7店ぽちょっとお茶するか!MAP(東京都渋谷区)作成:川村行治

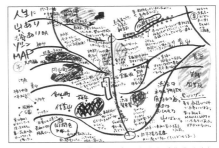

人生に山あり渋谷ありDAゾーンMAP(東京都渋谷区)作成:大内征

答え2

昭和30年ごろの町を手書き地図で再現！

山形県の遊佐町からラブコールのあったワークショップも、かなり印象深いものでした。というのは、手書き地図にするテーマが「昭和30年代の町並み」だったから。もともと依頼主は地域おこし協力隊の方で、地元のだれもが口にする"かつて賑わった町"を再現したいというのがきっかけ。とはいえ、その時代の資料は乏しく、それならいっそのことみんなが元気なうちに地図で再現して後世に残そう、ということに。そのときのワークショップがとても心の温まる光景で、ぼくらもその昭和30年代の遊佐を見てみたかったねと語り合ったのでした。だから、もしタイムスリップができるなら、間違いなく訪れたい場所のひとつが昭和30年代の遊佐町なのです。

十日町通り思い出マップ 職業編
（山形県遊佐町）

Q.50

香りの記憶

五感で過去の記憶を思い出すことってありませんか？　学生時代にアルバイト先の有線放送から流れていたJ-POP。恋人とドライブに行って浜辺の駐車場からクルマを降りた時の磯の香り。時として視覚以上に音や香りは記憶を蘇らせてくれます。場所にまつわる香りを思い出してみませんか？

答え1

登校時間の幸せな香りの記憶

愛媛県宇和島市の青年会議所で、地元の高校生たちと手書き地図の
ワークショップを行った時の手書き地図です。宇和島東高校の通学
路を「登校時間　幸せな香りがするとか」と模造紙に書いてくれま
した。通学時間には、パン屋さんからはパンの焼き上がりの香り、
弁当屋さんからはランチの仕込みの唐揚げなどの香りが漂ってくる
のだそうです。この幸せな香りストリートは、宇和島城のお堀を埋
め立てて、道路になっている場所。敵を寄せ付けないお堀が、現代
の高校生にとっては、幸せな香りを楽しみ、お昼ご飯を楽しみにし
ながら登校するシーンになっているなんて素敵です。大人になって
も朝この道を通ったら、香りの記憶で高校生に戻れるかも？

パクパク歴史 map（愛媛県宇和島市）

答え2

歩いているとにわかに漂ってくる「お味噌の香り」

遠足にいく1年生のために地図を作ろうと子供と遠足ルートを一緒
に歩いていると、どこからかお味噌の匂いがする気がする…。ふと
見ると「加藤醤油」と書かれた大きな建物が！　目線の高さも経験
値や知識も関係なく、みんなで「お味噌の匂いがしない！？」と盛
り上がったスポットです。遠足の道順マップに記したこのスポッ
ト。夕ご飯の匂いと違って時間限定じゃないし、終日漂うお味噌の
香りは「この場所の香り」になっているのかもしれない。歩いてい
ないと気づけない場所の記憶です。

えんそくマップ（長野県佐久市）
作成：江村康子

答え3

都会ではまず出会えない田舎の香水

長野県立科町のワークショップで作成した手書き地図「美味しい薫
りの旅」マップ。立科町の自然の豊かさをさまざまな薫りで表現し
ています。お米の炊き立ての薫り、新蕎麦の薫り、水は綺麗で薫り
なし、など。中でも立科らしい素晴らしい薫りの表現は、蓼科牛な
どの酪農の薫りを「田舎の香水」と名付けたところ。確かに都会で
は出会えない薫りかもしれません。田舎の香水はクルマよりも、バ
イクや自転車に乗っているとより感じ取ることができそうです。

美味しい薫りの旅（長野県立科町）

おわりに

早速、ペンを持ち画用紙に向かった皆さんへ、でも書き出せないあなたへ

　ここまで読み進めていただいた皆さん。ありがとうございます。また、1人で、みんなで早速手書き地図を作ってみようと思っていただけたのなら、もう書き始めているなら、とてもとても嬉しいです。

　手書き地図推進委員会を結成したのはもう10年前になります。この活動がご縁で様々な場所へ出向いて皆さんとワークショップを重ねてきました。結成当初は商店街の方から、「地図を作ってくれるの？　うちの商店街の地図頼むね！」とご依頼の相談もありました。その際、「我々は作りませんよ、作るのは皆さんなのです」と返すと、狐につままれたご様子。

　皆さんお分かりのように、手書き地図推進委員会は手書き地図作成のプロセスである、「手法」や「気づき」をワークショップ形式で伝授し、さらに委員の面々も参加の皆さんとそのプロセスを一緒に楽しんでしまう団体なのです。このような取り組みは、ある程度メソッドを体系づけることができても、やはりワークショップを実行するにあたっては準備と時間などエネルギーがかかるものです。長く続けてこられたのも、委員の面々が純粋に楽しんでいるから。また、ワークショップで出来上がった地域の魅力あふれる手書き地図や、参加した皆さんの充実した笑顔が、僕らのエネルギーになっているからに違いありません。

　さて今作の『手書き地図の教科書』いかがでしたか？　数々の視点は、その新鮮な角度にハッと気づかされることもあったかと思います。何回もパラパラとお好きな所をお読みいただき、楽しく活用いただけることを願っています。でもこの本を読んでいただいても、「一緒に作る仲間がいない」、「なかなか絵が描けないわ」と、まだまだ逡巡して書き出せない方がいるかもしれませんね（いやーいるはず。そうです、手書き地図推進委員

の面々は心配性なのです）。今すぐ飛んでいってお話をしたい所ですが、そうはいかないので最後にもう一つだけ。そんなあなたへ One more thing です。

　たとえば、日記が原稿用紙やノートに「言葉」で書かれるものなら、模造紙や画用紙やメモ帳に「地図」というフォーマットで書く手書き地図もまた、日記のようなものと気楽に捉えてみてはどうでしょう。

　街の魅力は皆さんの感じた楽しさ、美しさ、美味しさ、面白さの中にあります。些細なことも大きなことも。ずっと変わらないものもあれば、皆さんの生活の中で日々更新されていくもの、失われていくものもあるでしょう。そうです。いつも「あなた」の中にあるのです。

　1日の終わりに、今日はどこに行ったかなとミニミニ手書き地図をちょっとだけ日記のように気軽にメモ帳や日記帳に書き留めてみてはいかがでしょうか。どうですか、これだったら書けそう？　書けそうですね。うんうん。よかった！（としておきましょう）

　手書き地図作成の楽しみに終わりはありません。皆さんが生活している限り、それが同じ場所であったとしても、日々いつも作る楽しさと喜びがあると思います。

　いつか僕たち手書き地図推進委員会とワークショップでお会いすることがあれば、その際には、この本を読んで作った「あなただけの地図」をぜひ見せてくださいね。楽しみにしています。

　最後に学芸出版社、編集の岩切江津子さん、沖村明日花さん、岩崎健一郎さん、前作に引き続き今作も素敵な装丁をデザインしてくださった美馬智さんに最大の感謝をいたします。

　あ、そういえばアジフライにはウスターソース一択だよ　大内研究員！

2024 年 2 月　　手書き地図推進委員会　研究員　川村行治

〈著者紹介〉

手書き地図推進委員会
全国に埋もれてしまっている作者の愛が感じられる「手書き地図」を紹介し、多くの人に知ってもらうことで日本各地の土地固有の面白さやユニークさを発見することを目的として設立。

川村　行治（かわむら　ゆきはる）
株式会社ロケッコ（手書き地図推進委員会）代表取締役、株式会社インセクト・マイクロエージェンシー取締役、宮園輸入車販売株式会社常務取締役。
大手広告代理店を経て、現職に至る。最近は親子の読書感想ポッドキャストユニット「かわむら家」（川村家の月一選書）にて、読書の楽しさも発信している。1968 年生まれ、東京都出身。

赤津　直紀（あかつ　なおき）
株式会社ロケッコ（手書き地図推進委員会）取締役、株式会社インセクト・マイクロエージェンシー代表取締役。
商業施設や店舗などを舞台にデジタルの利便性とアナログでしか表現できない体験を掛け合わせたサービス開発やデジタルマーケティングのコンサルティングを行っている。小学校の手書き地図の出張授業では、世代間ギャップを感じながらもめげずにオヤジギャグを放り込んで仲良くなっている。栗が大好物なので「笠間クリタロウ」という非公認キャラクターをプロデュース。1975 年生まれ、茨城県出身。

跡部　徹（あとべ　とおる）
株式会社ロケッコ（手書き地図推進委員会）取締役、株式会社空気読み代表取締役コンセプター。非営利型一般社団法人みんなの公園愛護会理事。
株式会社リクルートで、雑誌・WEB・フリーペーパーの編集長を歴任した後に 2008 年に独立。メディアのコンセプト設計・新規事業開発を行う。著書に『空気読み企画術』（日本実業出版社）、『前に進む力』（ディスカヴァー・トゥエンティワン）、『推しの公園を育てる！公園ボランティアで楽しむ地域の庭づくり』（学芸出版社）など。1974 年生まれ、宮城県出身。

大内　征（おおうち　せい）
株式会社ロケッコ（手書き地図推進委員会）取締役、低山トラベラー、山旅文筆家。
歴史や文化を辿りながら日本各地の低山里山をたずねる「歩き旅」を通し、自然と人の営みに触れるローカルハイクの魅力を探究。NHK ラジオ深夜便「旅の達人〜低い山を目指せ！」担当 9 年目、LuckyFM 茨城放送「LUCKY OUTDOOR STYLE」番組パーソナリティ 2 年目。NHKBS「にっぽん百名山」では雲取山、王岳・鬼ヶ岳、筑波山の案内人として出演。著書に『低山トラベル』（二見書房）シリーズなどがある。1972 年生まれ、宮城県出身。

江村　康子（えむら　やすこ）
手書き地図推進委員会公式絵地図作家。
印刷会社 2 社を経て独立。結婚を機に長野県佐久市へ移住。医師らと取り組む「教えて！ドクター」プロジェクトをきっかけに『マンガでわかる！子どもの病気・おうちケアはじめて BOOK』（KADOKAWA）のマンガとイラストを担当。1976 年、新潟県出身。

本書の最新情報のご案内、
ご意見・ご感想の投稿は
下記のウェブページをご覧ください

https://book.gakugei-pub.co.jp/
gakugei-book/9784761528874/

Q&A で地域を再発見!

手書き地図の教科書

2024 年 4 月 25 日　第 1 版第 1 刷発行

編著者　手書き地図推進委員会
著　者　川村行治・赤津直紀・跡部徹
　　　　大内征・江村康子

発 行 者　井口夏実
発 行 所　株式会社 学芸出版社
　　　　　〒600-8216
　　　　　京都市下京区木津屋橋通西洞院東入
　　　　　電話 075-343-0811
　　　　　http://www.gakugei-pub.jp/
　　　　　info@gakugei-pub.jp
編集担当　岩切江津子・沖村明日花・岩崎健一郎

装丁・デザイン　　美馬智
イラスト　　　　　江村康子

印刷・製本　　　　モリモト印刷

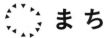